子育てハッピーアドバイス

大好き！が伝わる ほめ方・叱り方

スクールカウンセラー・医者
明橋大二 著

イラスト＊太田知子

1万年堂出版

はじめに

「言うことを聞かない子どもを、どう叱《しか》ったらいいでしょう」

「子どもの心に響《ひび》く叱《しか》り方《かた》は？」

よく、講演会などで質問を受けます。

皆《みな》さん、子どもの叱《しか》り方《かた》に、相当悩《なや》んでおられるようです。


ところが、ここで大切なことがあるのです。

それは、「子どもの叱《しか》り方《かた》を学ぶ前に、まず、ほめ方を学ぶ必要がある」ということです。

実は、ほめ方が上手になれば、それだけで、叱《しか》ることが減ってくるのです。

先日も、あるお母さんが言っていました。

「子どもが、歯みがきできたことを、よくできたねってほめたら、次の日も自分からやっていたんです。

びっくりするくらい素直でした。今までは、怒《おこ》ってばかりいたので、子どもも機嫌《きげん》が悪くて、やる気も出さないし、素直じゃないから、よけい叱《しか》っていました」

ほめ方が上手になれば、叱《しか》り方《かた》も上手になります。

そうすると、子育てが今までより、少し、ラクになるかもしれません。


「ほめる」とは、子どもを評価することではありません。

子どものがんばり、成長を見つけて、その喜びを伝えていくことです。

「叱《しか》る」とは、子どもに腹を立てることではありません。

子どもが、自分も他人も大切にできるように、1つずつ教えていくことです。


ほめ方、叱《しか》り方《かた》は、子育てに限りません。

夫婦でも、学校でも、会社でも、相手をいかに上手にほめ、上手に注意するか、ということが、これほど大切になっている時代はないのではないかと思います。

ほめ方、叱《しか》り方《かた》を見直すことで、この世の中が、子どもも大人も、「生まれてきてよかった」と思える社会になる、ささやかなきっかけになることを願ってやみません。

明《あけ》橋《はし》 大《だい》二《じ》

子育てハッピーアドバイス 大好き！が伝わるほめ方・叱り方

もくじ

もくじ

もくじ

あーっ
ぐちゃ
ぐちゃ

もくじ

もくじ

読者の皆さんから寄せられた質問にお答えします

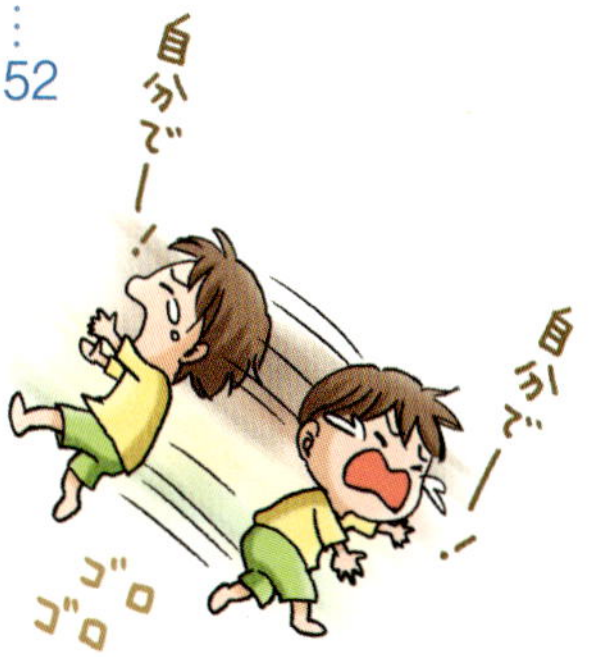

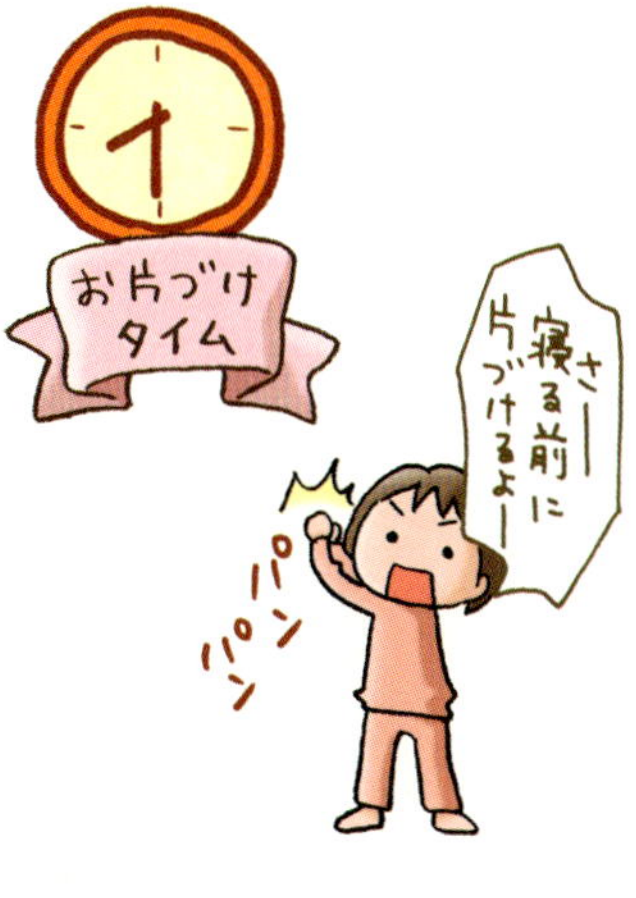

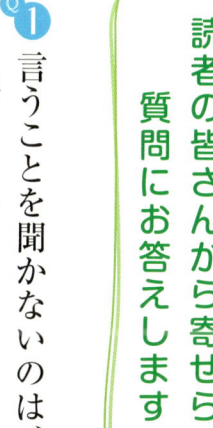

うわーん
わーん

もくじ

〈Dr.あけはしの、**ホッ**とする一言〉

1

子どもが幸せに育つために、いちばん大切なこと

たとえお金や学歴がなくても、「自己肯定感」があれば幸せを感じることができます

人間が生きていくときに、いちばん大切なのは、自己肯定感《じここうていかん》（自己評価）です。

自己肯定感《じここうていかん》とは、「自分は大切な人間だ」「自分は生きている価値がある」「自分は必要な人間だ」という気持ちをいいます。

どんなに勉強ができても、お金を持っていても、いい会社に勤めていても、自己肯《じここう》定感《ていかん》が低いと、苦しい人生になります。たとえお金持ちでなくても、学歴がなくても、自己肯定感《じここうていかん》の高い人は、幸せを感じることができます。

子どもが求めているのも、大人が求めているのも、お年寄りが求めているのも、これ1つです。

この、何より大切な自己肯定感《じここうていかん》が、今の日本の子どもたちは、決して高くないことが、いろいろな統計で明らかになっています。

「自分はダメな人間だと思いますか？」の質問に、「そう思う」と答えた中学生は、中国が11・1パーセント、アメリカが14・2パーセントだったのに対し、日本は56パーセントでした。

（日本青少年研究所　平成21年2月発表のデータ）

もちろん、国民性の違《ちが》いや文化の違《ちが》いもあります。しかし、それにしても、日本の子どもたちの自己肯定感《じここうていかん》の低さは深刻です。

人から、社会から、必要とされていると思えない子どもが、どうして、意欲を持って勉強に取り組んだり、積極的に社会のルールを守ったりできるでしょう。

「自分なんか、生きてる価値ない」としか思えない子どもが、どうして自分の人生を主体的に、前向きに生きていくことができるでしょう。

すべての土台は、自己肯定感《じここうていかん》なのです。

よーし
がんばるぞ!!
勉強
しつけ・ルール
自己肯定感
どんっ

「自分は大切な人間だ」という自己肯定感の高い子どもは、前向きに生きていくことができます

自分なんか
生きてる価値ない
勉強
しつけ・ルール
己肯定感

「自分は生きている価値がない」と感じる自己肯定感の低い子どもは、苦しい人生になります

ところが、そんなに大切な自己肯定感《じここうていかん》が、まだまだ一般《いっぱん》には、じゅうぶん理解されていないのが現状です。

先日も、ある講演のあとで、このような質問がありました。

「今の子どもに、いろいろな問題が起きるのは、むしろ周りの大人が、子どもを持ち上げすぎて、大事にしすぎているからではないか。親も祖父母も、よってたかって、子どもをヨイショしている。だから子どもが、わがままになるのではないですか」

このような意見は少なくありません。子どもを大事にしすぎているから、つけあがって、オレ様状態になっている。人を人とも思わず、傲慢《ごうまん》になっている、と。

しかし本当に、みんながそのように育てているとしたら、先ほどの調査のように、これだけ子どもたちが、自分を「ダメな人間だ」と思っている現状は説明できません。やはり、**今の日本社会の中に、間違《まちが》いなく、子どもの自己肯定感《じここうていかん》を下げる要因があり、それを改善し、高めていくことこそが、現在の教育、子育ての最大の課題だと思うのです。**

ですから、この本のテーマである、「ほめ方、叱《しか》り方《かた》」でも、何より大切なことは、それが、子どもの自己肯定感《じここうていかん》を高めるようなものでなければならない、ということです。

相手によかれと思って叱《しか》っていても、それが子どもの自己肯定感《じここうていかん》を下げることにしかならないなら、やめるべきだし、逆に相手の自己肯定感《じここうていかん》を高めるような叱《しか》り方《かた》、というものが、私はあると思っています。

このほめ方、叱《しか》り方《かた》を見直していくことが、とりもなおさず、日本の子どもたちの自己《じこ》肯定感《こうていかん》を育て、健やかな心を育《はぐく》むことになり、ひいては虐待《ぎゃくたい》の予防、さらには大人の自殺や、お年寄りの介護《かいご》問題《もんだい》を解決することにもなると思っています。

2

親からの最高の贈り物

「自分のいいところも
悪いところも、
みんな受け入れられ、
愛されている」

これ１つ伝われば、子どもは輝きます

最近の若い女性が求める、理想の男性像は、「自分のことを受け止めてくれる人」だそうです。

自分の気持ちをわかってくれる人、自分のいいところも悪いところも全部受け入れて、愛してくれる人、ということだと思いますが、こういったことを求めるのは、実は、若い女性だけではなく、どんな人も同じではないかと思います。

そして、この**「自分の気持ちをわかってもらえる（認めてもらえる）」「自分のいいところも悪いところも、全部受け入れて愛してくれる」というのが、まさに自己肯定感《じここうていかん》だといえば、子どもの幸せにとっても、自己肯定感《じここうていかん》がいかに重要か、わかっていただけるのではないでしょうか。**

喜びも悲しみも、共感してくれる

自分の気持ちをわかってもらえる、というのは、いわゆる「共感」です。悲しいときには、一緒《いっしょ》に悲しんでくれる。うれしいときには、一緒《いっしょ》に喜ぶ。そういう

ぼくのお母さんは
ちゃんと
わかってくれる

ときに、子どもは、自分の気持ちをわかってもらえた、と思います。そして、愛されている、と幸せを感じます。

「共感」は、自己肯定感《じここうていかん》が育《はぐく》まれるために、最も有効な関《かか》わりの1つです。

子どもが失敗をして落《お》ち込《こ》んでいるとき、「そんなことで落《お》ち込《こ》むな！」と叱咤《しった》されることも、時には必要かもしれません。しかし、それよりも「つらかったね」「ショックだったね」と、ただ、つらい気持ちをわかってもらえるだけで、気持ちがいやされ、立ち直れることのほうが多いのです。

がんばってうまくいったとき、「やったね！」「すごいじゃない！」と、親が一緒《いっしょ》に喜んでくれることで、さらに喜びが大きくなり、よーし、もっとがんばろう、という意欲もわいてくると思います。

「子どもをほめて伸《の》ばす」というと、ほめることが、子どもを伸《の》ばす手段みたいですが、大切なことは、子どもの気持ちに共感すること。喜びも悲しみもともにする中で、子どもは、自分が大切にされていると感じ、そこから、前向きに生きていこうという意欲も出てくるのではないかと思います。

× 子どもの気持ちを否定する

お母さん！見て見て！
ん？——ああ
お母さん今忙《いそが》しいんだから
話しかけないでよ
ガーン
しゅん……

わーんお母さーん
どうしたの？
入れてって言ったのに
わぁん
お友達がダメって言った～
そんなに泣くんじゃないの。みっともない
それにそんなことを言われるなんて、あなたも何か嫌《きら》われるようなことをしたんじゃないの？
!!
お母さんは全然私の気持ちをわかってくれない!!

○うれしいときも、悲しいときも共感する

いいところも悪いところも愛される

もう1つ、「自分のいいところも悪いところも引っくるめて、受け入れられ、愛される」ということですが、これがいかに安心感となり、自信になるかは、逆のことを考えればわかってもらえると思います。

家族から、いいところは認められるけれど、悪いところは拒否《きょひ》される。よい行為《こうい》を重ねると、ポイントが上がり、家族として存在を許されるけれど、悪いところが重なると、ポイントが下がり、ある一定以上ポイントが下がると、家族から排除《はいじょ》されて追放される。

こういう関係は、会社ではありえても、家族とはとうてい思えません。どうしてでしょうか。それは、家族というのは、いいところも悪いところも含《ふく》めて、受け入れ合う、そして支え合う、そういうものだからです。

ところが、**今の子どもたちは、「自分のいいところも悪いところも、みんな受け入れられ、愛されている」と思えない子どもが増えています。**叱《しか》られることが、子どもにとっては、あたかもマイナスポイントがどんどん増えていって、そのうち、家から追放されるんじゃないか、という不安に結びついているかのようです。

✕ 悪いところを徹底的に指摘する

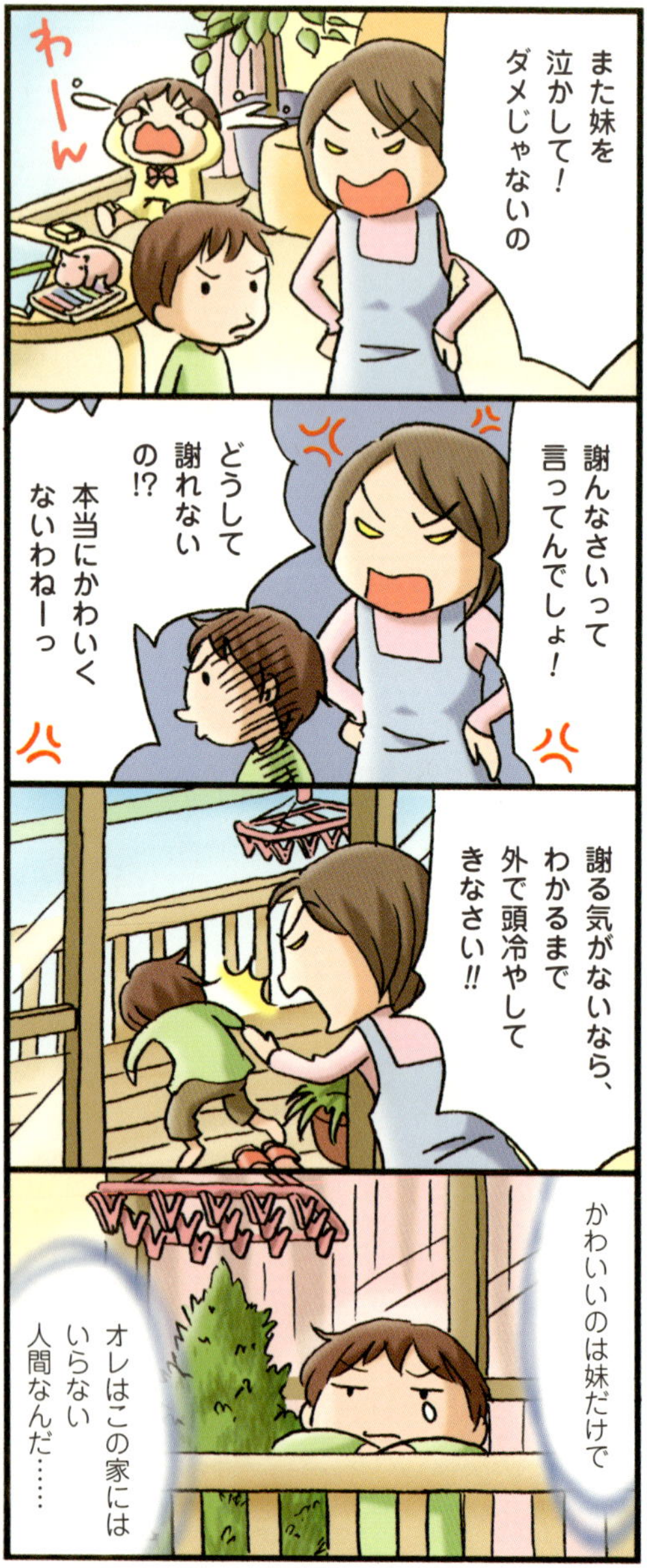

○悪いことをしても、味方でいてくれる

「そんな悪いところも受け入れていたら、社会で通用しなくなるじゃないですか。社会はそんなに甘《あま》くないでしょう」と言う人もあると思います。

しかし、自分のことを考えてください。会社で叱《しか》られて、「こんなことが続いたら、おまえはクビだぞ！」と言われて、落《お》ち込《こ》んで家に帰ってきた。ところが家では、みんな自

分の帰りを待ってくれている。変わらず自分に接してくれる。こんな自分でも受け入れてくれている。そう思って初めて、気持ちがいやされ、また明日もがんばろう、と思えるのではないでしょうか。

子どもも同じだと思うのです。

●失敗しても、受け入れてくれる人がいる

いいます。

能力への自信より、存在への自信

よく、「子どもに自信をつけさせるには?」とか、「うちの子は自信がなくて……」とい

確かに自信を持つことは大事です。しかし、この自信といっても、2段階ある、ということが意外と知られていません。

第1段階は、存在への自信です。つまり、自分はここにいていいんだ、ありのままで、存在価値があるんだ、いらない人間なんかじゃないんだ、という気持ちです。前章で述べた、自己肯定感《じここうていかん》です。これは、何によって作られるかというと、親や周囲の人が、自分の存在を喜んでくれることから、育《はぐく》まれる気持ちです。

第2段階は、能力への自信です。これは、勉強ができる、スポーツができる、お手伝いができる、などという、自分の能力への自信です。これは、周囲の人から、認められたり、ほめられたりすることによって、育《はぐく》まれます。

ふつう、自信というと、能力への自信のほうを問題にしがちです。

しかし、**人間が生きていくときに、本当に大切な自信は、存在への自信です。**

能力への自信は、努力によってつけることができる反面、いろいろな状況《じょうきょう》で失うこともあります。勉強で失敗したり、スポーツで負けたりです。

ところがそこで、「なにくそ」と思って、また立ち直ってがんばることができるか、「どうせ自分なんて」とあきらめてしまうかは、存在への自信、自己肯定感《じここうていかん》によるのです。

自己肯定感《じここうていかん》の高い子は、1つのことで失敗しても、それだけで自分の存在価値がすべてなくなったとは思いません。別の機会には何とかなるかもしれないと思いますし、ここでダメでも、別の分野では何とかなるかもしれないと思っています。

しかし、自己肯定感《じここうていかん》が低いと、1つダメだと、やっぱり自分は何をやってもダメなんだ、自分はやっぱり存在価値がないんだと思ってしまいます。

これは、しつけやルールを教えるときでも同じです。悪いことを悪いと注意したときに、自己肯定感《じここうていかん》の高い子は、「自分のために叱《しか》ってくれたんだ」と思うことができます。しか

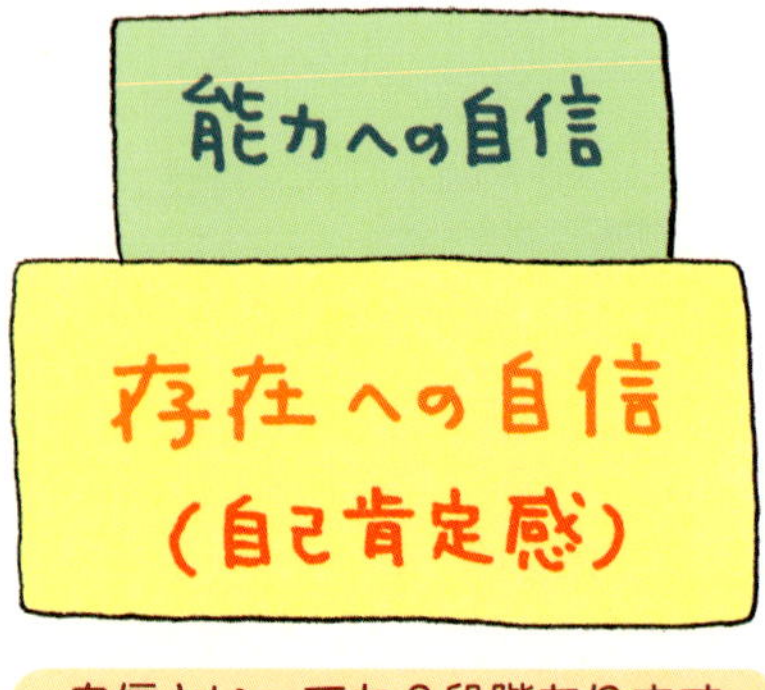

自信といっても2段階あります

し、自己肯定感《じここうていかん》の低い子は、「やっぱり自分は、人を怒《おこ》らせるだけの、ダメな人間なんだ」と思って、すてばちになり、注意がちゃんと入りません。

ですから、**その子の勉強やスポーツなどの能力を育てるときにも、しつけやルールを教えるときにも、土台となるのが、自己肯定感《じここうていかん》、存在への自信なのです。**

3

手のかかる子は、とってもいい子です

では、「自己肯定感《じここうていかん》はどうしたら育つのか」という話になりますが、これには大切なポイントがあります。

もちろん、ほめることは、とても大事なことですが、それだけではありません。子どもが、怒《おこ》ったり、泣いたり、ギャアギャア言ったり、だだをこねたり、いわゆるマイナスの感情を出してきたとき、それを受け止めることによって、育《はぐ》まれる部分も大きいのです。

○マイナスの感情も受け止める

さあ、そろそろ帰ろう
えーやだー もっと遊ぶーっ
そうだね。とっても楽しかったもんね。よし。それじゃああと1回やってから帰ろうか
お母さんはわかってくれた
これヤダー きらーい
そうか、わかったよ
だれにだって嫌《きら》いな物はあるからね。しょうがないよね
一口だけがんばってみようか
お母さんは、ちゃんと気持ちを受け止めてくれる

子どもは、甘《あま》えるだけではなく、そういうマイナスの感情を親にぶつけ、気持ちを受け止めてもらえることで、「こんな自分でも、ちゃんと受け入れられるんだ」と安心します。

もちろん、それで叱《しか》られたりもするのですが、だからといって、怒《おこ》ったり泣いたりした途《と》端《たん》に、家から追放される、食事が出なくなる、ということはありません。怒《おこ》ったり泣いたりしても、変わらず家にはいられる、ご飯は出てくる、ということは、こんな自分でも、ここにいていいんだな、と確認できます。

ところが、マイナスの感情を出せない子、いわゆる「手のかからない、いい子」は、自分が、いい子でいる間は存在を認めてもらえるけれど、もし自分が悪い子になったら（怒《おこ》ったり泣いたり、だだをこねたり、文句言ったりしたら）、その途《と》端《たん》に見捨てられるんじゃないか、見放されるんじゃないか、という不安がとても強いのです。親からすると、「そんなことをするはずないじゃないか」と思うのですが、子どもは、そういう自分のマイナスの部分を出して、受け止めてもらったという経験がないので、安心できないのです。**ありのままの自分でいいんだ、という存在への自信は、案外、育っていないのだ、といえます。**

では、「自己肯定感《じここうていかん》はどうしたら育つのか」という話になりますが、これには大切なポイントがあります。

✕ マイナスの感情を、一切出せない

もっと遊ぶー
こっちの身にもなってよ!
冗談《じょうだん》じゃないわよっ
ダメに決まってんでしょ!
もういいかげんにして!!
言うことを聞かないと
お母さんに嫌《きら》われちゃう!!
はー、疲《つか》れた
ピリ
ピリ
ピリ
ぱこっ
お母さん……大丈夫《だいじょうぶ》……?
おど
おど
イラ
イラ
お母さん、これおいしいね
かっかっかっ
お母さんがイライラするから、早くきれいに食べなくちゃ

子どもなのに、あまりにもいい子すぎる、手がかからなすぎる、という子を見たときには、どこかで、この子はがまんしているんじゃないかな、背伸《せの》びしているんじゃないかな、と考えて、大人のほうからちょっと声をかける必要があるのです。

「いつもいい子にしてるけど、本当は何かがまんしてることあるんじゃないの？」

「本当は、言いたいことあるんじゃないの？」

そのように言ってもらうと、「じゃあ、言っていいのかな」と思って、子どもは少し話をしてきます。それを「そうか、そんなことを思っていたのか。今まで気づかなくて悪かった。これからは、何でも好きなこと、話してくれていいよ」と言ってもらって、初めて、自分の気持ちを素直に言えるようになる子があるのです。

また逆に、**怒《おこ》ったり泣いたり、だだをこねたり、文句を言ったり、という子は、親にとってはたいへんかもしれませんが、それと日々つきあう中で、子どもの自己肯定感《じここうていかん》はしっかり育っているのだ、ということです。**

「わがままを受け止めると、よけいに図に乗るんじゃないか」「悲しい気持ちに共感すると、よけいに泣き虫になるんじゃないか」と心配される人もあると思いますが、その必要はありません。

一時的には、手がかかるようになるかもしれませんが、**しっかり自分の気持ちを表現でき、受け止めてもらった子どもは、次第に気持ちのコントロールを身につけ、本当の意味で、強い心へと育っていくのです。**

マイナスの気持ちをきちんと受け止めてもらった子は自己肯定感が育まれ、次第に感情のコントロールができるようになります

4

やる気の土台となる自己肯定感を育む8つの方法

具体的に、どういう関《かか》わりで自《じ》己《こ》肯《こう》定《てい》感《かん》は育《はぐく》まれていくのでしょう。

実は、日々の子育ての中で、自然と行っていることがほとんどなのですが、ポイントを8つに分けて並べてみました。

1 スキンシップ

抱《だ》っこする、ハグする、ぎゅっとする、手を握《にぎ》る、頭をなでる、キスする、一緒《いっしょ》にお風呂《ふろ》に入る。

2 ご飯を作る 一緒《いっしょ》に食べる

3 一緒《いっしょ》に遊ぶ

4 泣いたらよしよしする

5 子どもの気持ちを酌《く》んで言葉にして返す

「嫌《いや》だったんだね」
「さびしかったんだね」
「うれしかったね」

6 子どもの話を聞く

7 絵本を読む

8 子どもをまるごとほめる

「大好きよ」

「あんたといると楽しいわ」

「どんなことがあっても、お母さんは味方だよ」

「やっぱりうちの子がいちばん！」

「おまえはいいやつだ」

「とにかく、あなたのことを信じてるから」

「生まれてきてくれてありがとう」


このような、子どもをまるごとほめる言葉は「能力への自信」よりも、「存在への自信」を育《はぐく》む言葉です。

こういう言葉をかけ続けられた子どもは、自分の存在を全肯定《ぜんこうてい》されたと感じます。

「こうだから好き」「○○だからえらい」という条件つきだけではなく、時には、何の根拠《こんきょ》もなく、ほめる、肯定《こうてい》していく、そういうことも、私はあっていいことだと思っています。

ただ、もちろん、これを全部しないと自己肯定感《じここうていかん》が育たない、というものではなく、できることから、やっていけばよいと思います。

この中には、ほめるほめない以前に、子どもと、ごくふつうの生活でしていることも多くありますね。

こんなことで自己肯定感《じここうていかん》が育つのか、と思われるかもしれませんが、実は、ふだん、当たり前のようにやっていることが、子どもの自己肯定感《じここうていかん》を育てるうえで、とても大切なのだということを知っていただきたいと思います。

そういう意味では、

子どもをうまくほめられなくても、キレてばかりいても、とりあえず、子どものご飯を作ったり、身の回りのことをしたりしていれば、それなりに子どもにも伝わっていく、ということだと思います。

Dr.あけはしの、ホッとする一言

ついついキレてしまうのは、
それだけ子育てがんばってる
からだよね。

5

子どもをほめる、宝探しの旅へ出よう

今すでにある、いいところ、がんばっているところを見つけていく

さて、子どもの自己肯定感《じここうていかん》を育《はぐ》むのに、やはり「ほめる」ということは大切です。
しかし、このように言うと、即座《そくざ》に親御《おやご》さん方から反論が返ってきます。

私だって ほめて育てたいけど うちの子全然 ほめられるような ことしないんですよ
ーあっ ほらまた!

周りの子と比べると、つい成長の遅さに焦っちゃって……
はぁーっ
もう3歳なのに……
ぎゃー
ぎゃー

確かに、イライラするのも無理はありません。ところが、一見、ほめるところがちっともないような子でも、見方を変えると、意外とほめられるところ、いいところが見えてきたりするのです。

そのポイントは、「いいことをしたらほめよう」「がんばったらほめよう」というのではなく、今の子どもの中にすでにある、いいところ、がんばっているところを見つけていく、ということです。

以下の章では、そのコツを、いくつかご紹介《しょうかい》したいと思います。

6

ほめ方その❶

できた１割をほめていけば子どもはぐんぐん元気になります

10のうち、子どもが1しかできなかったとき、私たちは、ついつい「何で、1しかできないの」「あとの9はどうしてできないの」と言ってしまいます。つまり、かける言葉のうち、1をほめる言葉は、まず出てきません。

しかし、**考えてみてください。10のうち、できたのは、0ではないのです。1はできているのです。**

ところが、たとえ2割できたとしても、「何で8割できないの?」

3割できたとしても、「何で7割できないの?」と、なぜか否定の言葉しか出てきません。

決して、まったくできていないわけではないのに、「自分なんか全然ダメだ」と、ヤル気をなくす子が多いのは、こういうところに1つの理由があるのではないでしょうか。

たとえば、子どもがテストで60点を取ってきたとします。そのとき、まず目が行くのは、間違《まちが》ったところ、バツになったところです。そこで、「ここはどうして間違《まちが》えたの?」「こんなこともわからないようじゃ、ダメじゃないの」と言ってしまいます。結果として、子どもが聞くのは、ほとんどが注意、否定の言葉です。

しかし、**60点は取れているのですから、4割は注意されたとしても、6割は、ちゃんとほめてもらってこそ、フェアな評価といえるのではないでしょうか。**

さらにいえば、自信が持てていない子、自己肯定感《じここうていかん》の低い子の場合は、逆に、できない4割は問題にしないで、できた6割をしっかりほめていく。「ここちゃんとできたね」「ここもできるようになったんだね」とほめていく。そうすると、自分もやればできるんだ、とうれしくなって、意欲が生まれ、結果として、できなかった4割もできるようになっていくのです。

このことをよく表現している、子どもが書いた作文を紹介《しょうかい》したいと思います。

うれしかった日

今日、先生からさん数のテストがかえされた。ぼくは、ちょっぴりいやな気もちだった。なぜなら、ぼくは、さん数があまりとくいではないから。そして、けいさんでは、くりあがりのときに、よくまちがえるから。

やっぱり六十点だった。

「お母さんに、しかられそうだ」

「お父さん、おこるだろうな」

家にかえる足が、本とうに重くかんじられた。ぼくは、おそるおそる台どころで、テストをお母さんに見せた。

「あれ、くりあがりできるようになったじゃない。二問目の。やればできるね太郎は」

お母さんは、やさしくぼくのあたまをなぜなぜしてくれた。お父さんも、がんばりやの太郎といってくれた。ぼくは、本とうにうれしかった。ぼくは、すぐに台どころのテーブルでさん数ドリルをやりはじめた。

× 間違えたところばかり注意する

えっ
60点!?
どうして
こんなことに
なったの!?
間《ま》違《ちが》えた
ところだけ、
もう1度
やってみなさい
ちゃんと
おさらいしないと、
次もまたひどい点を
取ることになるわよ
ほら、また
間《ま》違《ちが》えた
もー
ダメねー!!
何でこんな
簡単なことも
わからないの？
何度やっても
できないんだから

○ できたところに注目する

60点か
……
あれ、もう2ケタの足し算できるようになったんだ
やるねー
この問題はけっこう難しいのに、よくできたじゃない
すごいよ
いっぱいマルがもらえてよかったね！
うんっ
よーし次はもっとがんばるぞ!!

✕ 不足や不満ばかり言っていると……

○ できているところを見つけて、感謝すると……

部屋《へや》が汚《きたな》いことは言わずに
子どもと遊んでた? いつも面倒《めんどう》見てくれてありがとう
ちょっと下手なところは目をつぶって
アイロンかけてくれたんだ
いいのよ
助かるよ
たまにしょっぱいことがあっても
まあ……
毎日ご飯用意してくれて感謝してるよ。たいへんなんだから、たまには手抜《てぬ》きしろよ
パパのためにもっとがんばって
おいしい料理を作ろう!!

7

ほめ方その❷

やらないときは放っておく。やったとき、すかさずほめるのがいいんです

子どもをほめるときに、大切なポイントがあります。それは**「やるとき、やらないときがあったら、やったとき、確実にほめる」**ということです。

たとえば、お片づけなど、子どもは、やるときとやらないときがあります（ほとんどはやらないかもしれませんが）。つまり、行動に波があるのです。

われわれは、ついつい、やらないときに叱《しか》ります。「また、片づけもしないで！」

そして、やっているときは、当然なので、何も言いません。そうすると、行動に多少波があっても、本人は常に叱《しか》られていることになります。

それを逆にする。

つまり、やらないときには言わないで、やったときに（ほんのちょっとしたことでもいいです）、すかさず、ほめるのです。

「今日は、お片づけできたね。えらいね」

「今日は、お茶わん、流しに持っていってくれてありがとう」

これは、よくない行動に対しても使えます。

いつも妹をいじめるお兄ちゃん、でも今日は、たまたまいじめなかった。そういうときに、「今日は仲良くしていたんだね」「妹と一緒《いっしょ》に遊んでくれてありがとう」と伝えていく。

そのほうが、よい行動が身につく確率が高いのです。

✕ やらないときに叱る

ガミガミ
さっさと宿題やっちゃいなさいよ
ガミガミ
宿題は!?
もう終わってるの!?
むかっ
うるさいなあ……
よしよし、やってるな
しぶしぶ
やっているときは何も言わない

○やったときに、すかさずほめる

あははは
たまに宿題をしようとすると――
ピキーーンッ
ててて
あっ
反応
すかさずほめる
自分から宿題を始めるなんてスゴイじゃないの
別に……
まんざらでもない気分♪

8

ほめ方その❸

「どうして
このくらいできないの！」が、
「あら、できたじゃない」に
変わる魔法があります

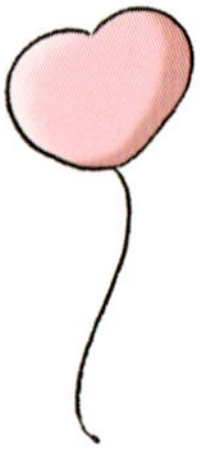

私たちは子どもに、ついつい期待をします。「こうなってほしい」「これぐらいできてほしい」等々。

子どもも、そんな親の期待にこたえようとがんばって、伸《の》びていくわけですから、それも大切なことだと思います。しかし、その期待が、子どもの現状に比べて大きくなりすぎると、子どもも大人も苦しくなります。

期待どおりにはいかないことが多いし、裏切られることも多くなるからです。

「どうしてこのくらいできないの！」「あんたは何をやってもダメね」と言うことになってしまいます。

子どもに対する否定の言葉が多くなり、子どもも自信を失っているなと感じたら、そのときは、思い切って要求水準を下げましょう。

「できて当たり前」ではなく、「できなくて当たり前」と見ていくのです。

「まだ子どもなんだから、できなくて当然よね」「お兄ちゃんといっても、まだ3歳だもの、うまくできないのもしかたないわ」。そう思っていくと、できなくても当然、たまにできたら、「あら、できたじゃないの」となります。腹も立たなくなるし、イライラしなくて済みます。

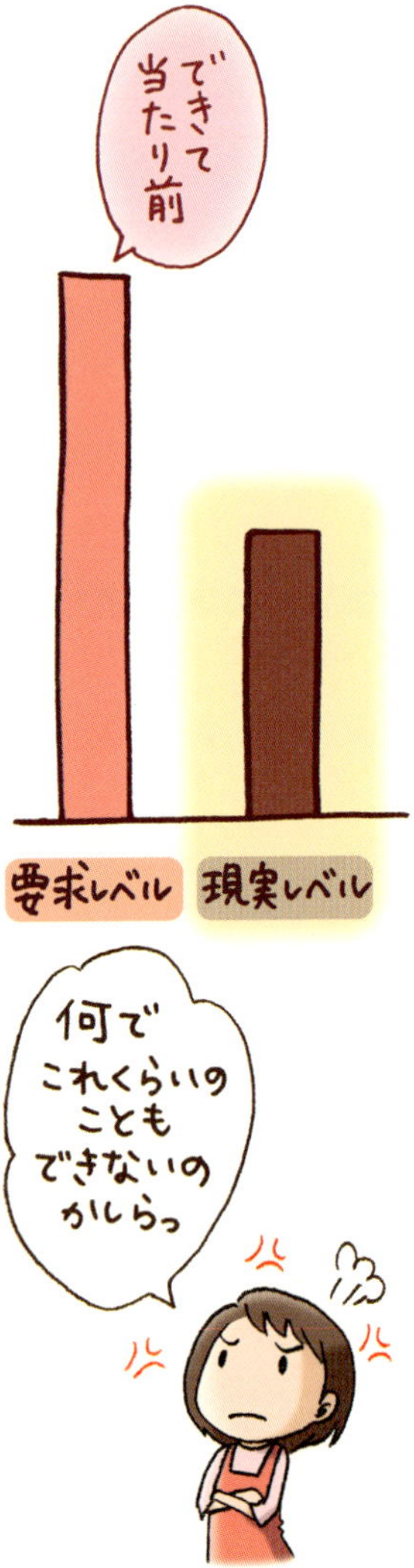
できて当たり前
要求レベル
現実レベル
何でこれくらいのこともできないのかしらっ

✕ 親の期待が現状より大きくなってくると……

ふらふら
ご飯の間くらいじっと座っていなさい!!
もう小学生なのに!!
えー、歯みがきヤダ～
えーじゃないの!!
言われなくても自分で歯をみがけるようになりなさい!!
また忘れ物したの?
連絡帳に書いてあるわよ
持ち物の確認しなさいっていつも言ってるでしょ
ほんとにもっとしっかりしてよ!
それでも小学生なの!?

○ 要求レベルを下げる

ご飯の途中《とちゅう》で またフラフラして ――
こら こら
でもまあ 子どもって こんなもんよね
はいア～ンして
痛い―っ
ブブ
まだまだ子ども なんだから オッケーオッケー
えーーと
あれ？
持ち物チェック 独《ひと》りでしてるの？
えへへ
まあ、えらいじゃない。 さすが小学生の お姉ちゃんね♡

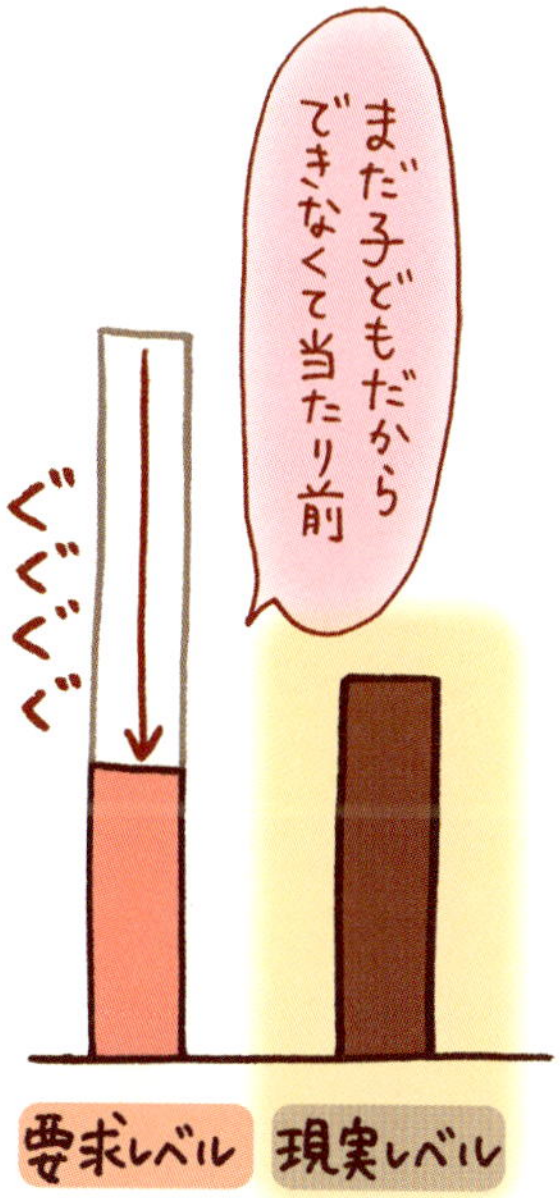
まだ子どもだから できなくて当たり前
ぐぐぐぐ
要求レベル
現実レベル

まあっ！ こんなに できるように なって!!

考えてみれば、親御《おやご》さんもそうだと思うのです。

「親なんだから、このくらいやって当然」「そんなことも知らないの?」と言われるのではなくて、「まだ新米《しんまい》のお母さんだから、わからないのも無理ないよ」と言われれば、ほっとして逆に元気も出てくるのではないでしょうか。

子どもも同じだと思うのです。

✕「できて当然」と言われる

○「できないのも無理はない」とわかってくれる

どうしたの
かしら……
ほぎゃあ
ほぎゃあ
なかなか泣きやまないな
まだまだお互《たが》い新米《しんまい》なんだから、しかたないよ
交代
とんとん
家のことも全然できてなくて……
ごちゃ
ごちゃ
よいしょ
赤ちゃんのいる家なんてこんなもんだよ。
じゅうぶんがんばってるよ

9

ほめ方その❹

よその子と
比較するよりも、
その子が、
少しでも成長したところを、
見つけていきましょう

私たちは、ついつい子どもを、ほかの子と比較《ひかく》してしまいます。

「あの子は、あんなにいい子なのに」

「ちょっとはあの子を見習ったらどうなの？」

親としては、ほかの子と同じように、あなたもいい子になってほしい、ということなのですが、子どもはそうは聞きません。

いい子が欲しいんだったら、あの子を子どもにしたらよかったじゃないか、自分じゃなくてもよかったじゃないか。自分なんかいらない子だったんじゃないか、と思ってしまう子もあります。結果、よけいにやる気を失わせることになりかねません。

子どもによって、成長には個人差がありますし、いろんな事情もあります。表面的なところだけで比較《ひかく》して、あの子はいい、この子はダメ、とは、本当はいえないのではないでしょうか。

もし、比較《ひかく》するとすれば、私は、以前のその子と比較《ひかく》するのがいいと思っています。

子どもですから、少しずつでも成長していきます。

1年前にできなかったことが、今年はできるようになっています。半年前、わからなかったことが、今はわかるようになっています。

そうすると、子どもなりの成長、がんばっているところが見えてくるはずです。それを伝えれば、子どももやる気を出して、さらに成長していくのではないでしょうか。

✕ 友達と比較して注意する

お隣《となり》のなおちゃんはあんたと同い年なのに、保育園の準備を自分でしてるそうよ
ボーーッ
少しは見習ったら？
お友達はこんなに上手に字が書けるのに!!
あそんでくれてありがとう
あんたときたら……
いまだにひらがなも書けないなんて!!
キーーッ
こんな手紙お友達も読めないわよ!
むーっ
3歳のいとこでも片づけができるのよ!!
フン!
どうせぼくはダメだよ

○以前のその子と比べてみる

そういえば以前は朝起こすだけでたいへんだった……
ボー
ギャー
ギャー
いつごろからだろう。泣かずに起きられるようになったのは
バイバーイ
保育園でのお別れも1年前まではこんなだったのに
ギャー
やだー
やだー
じゃあねっ
気が向いたときはお手伝いまでしてくれるようになった
ありがとう
ぼくが運ぶ！
あんたよく手伝ってくれるようになったし、最近あんまり泣かなくなったし、いつの間にかお兄ちゃんになったんだねぇ
まあね！

番外 よその子が気になる母

あの子はたしかりこちゃん
家族ごっこしよう!
しっかり自己主張できていいな……
やろーやろー
入れてー
いいよ
お姉ちゃん役ね
活発でいつも輪の中心にいる
それに引《ひ》き替《か》えうちの子は……
もじもじ
入れてもらってきなよ
ママと一緒《いっしょ》に~
まーくんはダメ
わああんわあああん
ちょっとしたことですぐに泣く……
はーっ
うちの子って何でこんなに弱いんだろう
ママがいいー
ママがいいー
こんなんでやっていけるのかしら
よその子がみんなうらやましいっ……!!

まーくん、こんにちは。ごめんね
あ、りこちゃんのママ
りこちゃんはいいですね
元気で、しっかりしてて
んー
それが困ってるのよ
お友達にキツイことばっかり言うから、そのうち皆《みな》から嫌《きら》われるんじゃないかと思って……
!?
まーくんがうらやましいわ
いつもニコニコしてて優しくて、皆《みな》に好かれそう……
えっ!?
うちの子まーくんと遊びたがってたよ
今度よろしく
ええっ!!
そうか……っ皆《みな》よその子はいいところばかり見えるんだ
この間まーくんから手紙もらって喜んでたよ。ありがとう
えっもうひらがなが書けるの!?
すごい!!
……
うらやましー
……
いいなー
……
よそ様の目にはこんなふうに映っていた!!
隣の芝生は青い……

あのときも……
みんな上手なのにうちの子だけ下手……？
あのときも……
うちのは全然弾けないのにあの子上手でいいなあ
隣《となり》の青《あお》芝《しば》生《ふ》現《げん》象《しょう》だったのね!!
ほかの子と比べるから、つい焦っちゃうんだわ
成長には早い遅《おそ》いがあるし、だれにでもいいところとそうでないところがあるんだから、
いちいち気にすることないのね
ウチはウチ！
りこちゃんばっかりずるーいっ
ならもうやめる！
ケンカやめなよー
私もこの子のいいところに目を向けるようにしなくちゃ
ママ大好き

番外 よその夫が気になる妻

かわいいでちゅ〜
むちゅ〜
義兄《にい》さんは子煩悩《こぼんのう》だ!!
あんなに堂々と……
うらやましい!!
隣《となり》のご主人は皿洗いやゴミ捨てなど積極的に家事を手伝うらしい
ネコいなくなりました
行ってきます
うらやましい!!
友達のお父さんは子どもの行事にとても張り切る!
あははは
がんばれ〜
うらやまし〜!
皆《みな》〝隣《となり》の芝生《しばふ》は青い〟現象です
はい
よい面に目を向ければ——
う〜む
脱ぎ散らかさないように……
気を遣《つか》ってはいるようだ
うまい!
家のことに文句をつけることもない
何よりも
パパ
この子のことこんなに愛しているのは、この人だけだものね

10

ほめ方その5

こんなタイプの子は、時には、失敗をほめましょう

最近の子の中には、とても敏感《びんかん》で、大人の気持ちを常に察知する、「手のかからない、いい子」が増えてきています。

聞き分けはいいし、自分で何でもするし、そうでない子の親御《おやご》さんにとっては、「うちの子も、ちょっとは見習ってほしいわ！」という感じなのですが、逆にそういう子の親御《おやご》さんは、「こんなに手がかからなくていいのかしら？」「反抗期《はんこうき》がなくても大丈夫《だいじょうぶ》かな？」と不安になっておられます。

こういうタイプの子は、いったんいい子になってしまうと、なかなかその枠組《わくぐ》みから外れることができません。こちらから、「そんなにがんばらなくてもいいよ」「もっと甘えていいんだよ」「そんなに気を遣《つか》わなくてもいいよ」と言っても、どうしたらいいのかわかりません。結局、やっぱりいい子になってしまいます。かといって、ほめても、よけい、いい子に拍車《はくしゃ》がかかってしまうので、うまくいきません。

では、どうすればいいのか。

私は、そういう子には、「失敗をほめる」というやり方がいいと思っています。

本人は、いい子でなくちゃいけない、大人の期待にこたえなきゃならない、と、能力の120パーセント、150パーセントがんばっています。それはとてもたいへんなことで、どこかで疲《つか》れがたまってきてしまいます。

●いい子でなくちゃ、とがんばりすぎると……

95点。今回もトップだぞ
みんなも田中を見習うように
スゲー
次もいい点取らなきゃ
あら、ずいぶん上達したわね。家でたくさん練習したのね。あなたには期待してるわよ
またいっぱい練習しなくちゃ
あなたは1ぺんも忘れ物をしたことがないわね。エライわ!
……
疲《つか》れた……

でも、そんな子でも、たまには、失敗するとき、がんばれないときがあります。それを積極的にほめていくのです。

「あんたも失敗することあるんだねー。でも、そういうところも、とっても人間らしくていいよ。がんばってる○○ちゃんもいいけど、こういうドジする○○ちゃんもいいなー」

と言うのです。

そうすると、今までいい子にならなきゃ、失敗してはいけない、と思って気を張《は》り詰《つ》めていたのが、ほっとした表情に変わります。

いい子じゃないと、ここにいちゃいけないんだ、と思っていたのが、いい子じゃなくても、ここにいていいんだ、と思えるようになります。これが自己肯定感《じここうていかん》です。

そうすると、だんだん自己主張が出てくるようになります。今まで手がかからなかった子が、逆に手がかかるようになってきます。親としては、ちょっとたいへんなのですが、われわれからすると、ここまでくれば、もうOKです。

あまりに子どもがいい子になっている、いわゆる過剰適応《かじょうてきおう》が心配される場合は、こういう対応のしかたもあるのです。

● 無理していると思ったら、積極的に失敗をほめる

あら、60点なんて珍《めずら》しいわね
しょぼん
60
でもなんか、お母さんホッとしたなあ
いつもいい点ばっかりじゃ疲《つか》れちゃうじゃない。こういう点数も取ってくれないと!
ほっ
えっ、今日ピアノのレッスン日だったのに忘れちゃったの?
ありゃー、はなこでもそんな失敗するんだねぇ
いつもしっかりしすぎなんだから抜《ぬ》けることだってあるって! ドジなはなこも好きだよ
ほっ

新妻奮闘記
こんないいトコロに
お嫁《よめ》に来たからには
いい嫁《よめ》だと思われるよう、
がんばらなきゃ
キンチョーのあまり!
ぎくしゃく ぎくしゃく
お、お母様、
お手伝いします
あら、そう?
ギャー
焦がした!!
真っ黒!
あーよかった
私なんかいつもやるわ
あんまりいい
お嫁《よめ》さんだったら
どうしようかと思った。
安心したわ~
お、お母様……
コイのエサは
こっち!
それは
イヌ用だろう
アイヤー
ドッグフード
あんた
オモシロイなあ。
気に
入ったわ!
この家は
居心地《いごこち》が
いいなあ……
失敗してほめられたよ
ぐび…
肩の力が抜けた〜

11

ほめ方その❻

「ありがとう」は、最高のほめ言葉です

最も簡単で、最も有効なほめ言葉は、「ありがとう」です。

「ありがとう」という言葉は、お礼の言葉であると同時に、最高のほめ言葉なのです。

私たちが、人から「ありがとう」と言われると、どうしてうれしいのか、というと、何かお礼を言ってくれたからうれしい、というよりも、自分のやったことが人の役に立てた、自分の存在に意味があった、と思えるからうれしいのです。

最初の章で書いた、**人間にとって最も大切な自己肯定感《じここうていかん》をダイレクトに育てる言葉です。**

思春期の子などは、下手にほめても、「ふん」という感じですし、「そんな当たり前のことで、ほめられたくねーよ」と言う子もいます。しかしそういう子でも間違《まちが》いなく届く、ほめ言葉、それが、「ありがとう」です。

ちょっとしたことでもいいのです。左の物を右にやった、そういうことでも、「ありがとう」と伝えていくことで、相手の自己肯定感《じここうていかん》が育《はぐく》まれていくのです。

自分も人の役に立てるんだ、自分も必要とされるんだ、そういう気持ちが、心の成長の土台になり、勉強に意欲的に取り組んだり、社会のルールをちゃんと守ったりすることの基礎《きそ》になります。

自分も大切な人間なんだ、と思えて初めて、他人も大切にできるようになるのです。

× 親が「ありがとう」を言わず、子どもにだけ要求する

親が「ありがとう」を言わない
机ふいたよ
ん
おはし並べておいた
あっそう
子どもに「ありがとう」を要求する
あなたの部屋《へや》をお母さんが掃除機《そうじき》かけたのよ
何か言うことあるんじゃない？
ありがとうでしょ！
……ありがとう

○ 少しのことでも「ありがとう」と伝える

ちょっと
台ふき
取ってくれる？
はい
ありがとう
掃除機《そうじき》
かけたいから
よけて
くれるー？
どうもありがとう。
お母さん助かったわ

お金や物を与えるほめ方には、注意が必要です

「いいことをしたら、お金や物を与《あた》えるほめ方はどうか」と聞かれることがあります。

確かに子どものがんばりをちゃんと認めておられる、という意味ではいい面もあると思います。ただそれを繰《く》り返《かえ》していると、お金や物をもらうために、行動する子にしてしまいかねない、という心配があります。そうなると、逆にお金や物をもらえないときは、何も動こうとしなくなるでしょう。

私たちが本当に育てたいのは、お金や物をもらえなくても、人が喜んでくれる、ありがとうと言ってくれる、それを喜びとして生きていく子だと思います。それなら、私は、別にお金や物を与《あた》えなくても、親御《おやご》さんが、うれしそうにする、「ありがとう！」と言う、それでじゅうぶんじゃないかと思います。小学校高学年くらいまでは、それだけでじゅうぶん子どもの動機づけになりますし、お金や物を与《あた》えるのは、特別な日だけでいいと思います。

ただ思春期くらいになってくると、友達づきあいの手前、いろいろ物入りになってきます。「ありがとう」だけでは伝わらないこともあるので、時にはごほうび、というふうに、物を介《かい》して気持ちを伝えることが必要な場合もあります。

親と子のほのぼのエピソード①

読者の皆さんからの投稿のページです

29歳　女性・神奈川県

　ささいなことなのですが、食事やおやつを終えたとき、息子（2歳）が使い終わった食器を台所まで毎回下げるようになりました。

　特に教えたわけではないので、とても驚いていたのですが、さらに下げ終わったあと、息子は自分の頭をなでていました。

　これには主人と2人でにっこり。すぐ息子の頭を「えらいね、すごいね」と、いっぱいなでました。

　ほめるのも叱るのも下手な私は、息子から学ばせてもらった気がします。

33歳　女性・北海道

　2歳の娘が、食べ物や飲み物をこぼしたときに、つい叱ってしまいました。

　そんなことで叱ってしまったのを思い直して、

「こぼしたのがわざとじゃなかったら、しょうがないよね。そんなことでお母さんが怒ってしまってごめんね」

と子どもに謝りました。

　すると後日、私が飲み物をこぼしてしまったとき、

「お母さん、こぼしてもいいんだよ。こぼしたら自分でふけばいいんだよ。気にしないでね」

と言われて、もう娘が食べ物をこぼしても感情的に怒ってはいけない……、と反省しました。

親と子のほのぼのエピソード②

読者の皆さんからの投稿のページです

41歳　女性・千葉県

うちの4歳になる娘。

そそっかしい私に、いつも振り回されています。

子供映画会……遅刻！

スイミング……水着がない～！

買い物……お財布忘れた!!

そのたびに、「いいんだよ！　私、ぜ～んぜん急いでないから（にこっ）」と、娘は言ってくれます。

ふだん、私は、「遅れる。早く！」と、叱っているのに……。

娘に心温められる毎日です。

41歳　女性・沖縄県

私自身、厳しく怒られた記憶がなく、いつも太陽のように包んでくれた両親に、心から感謝しています。今でも、家族全員が本当に仲がいいです。

先月、久々に私の実家に帰省したのですが、駐車場で、一人で歩いている娘に、「危ないでしょ!!!　危ない!!　危ないよ！」と、私が大声を出していたら、私の父と母が、「子どもに危ないって言うてもわからんじゃろう。危ない所では、ただ手をつないどれば、それでいいんで」と笑顔で言って、すぐに私の娘の手を取っていたので、反省しました。

危ない！って、ただ遠くから大声で叫んで叱っていた自分が恥ずかしく、また、私がこうして「手をかけて」育ててもらったのだなあ、と改めて実感しました。

口ではなく、手をかける……。そんなふうに育ててもらえたことに感謝でいっぱいです。

30歳　女性・愛媛県

　最近は娘が、私と同じ口調でパパを叱ったりほめたりしているのを見て苦笑する毎日ですが、先日、どうしても言うことを聞かない娘に、ダメだと思いながらもついつい、「嫌い！」と言ってしまいました。

　すると娘は、「好き！」と言いながら抱きついてきました。怒りが治まると同時に、言ってはいけないことを言ってしまった！と反省させられました。子どもにとって絶対的な母親という立場に甘えていたのかもしれません。

　これからは感情に任せて叱らないように気をつけようと思います。

42歳　女性・神奈川県

　もうすぐ2歳の下の子は、イヤイヤ期の真っただ中。

　何とかうまく乗り越えようと、日々、子どもの気持ちを受け止めるべく、できるだけ冷静に優しく接しようと心がけているのですが……。

　ある日、4歳になったばかりのお兄ちゃんが、私の後ろに立ち、ポツリと一言、「ママ、優しくして」。

　グサッときました。しっかりしてきたのをいいことに、また、下の子に手を焼いていて、お兄ちゃんには、叱ったり指示命令しか出していなかった。

　ゴメン、と言いながら、がまんしていた上の子の気持ちを思って、抱きしめながら涙が止まりませんでした。

12

「もっと叱って育てたほうがいいんじゃない？」の落とし穴

次に、「叱《しか》る」についてお話ししたいと思います。

ほめる大切さを伝えると、必ず、「それはわかるけど、子どもはもっと、叱《しか》って育てないといけないいんじゃないの？」という意見が返ってきます。

確かに、ガツンと叱《しか》れば、子どもは言うことを聞くので手っ取り早いですが、その弊害《へいがい》も無視することはできないのです。

ほめたり、叱《しか》ったりするのは、何のためかというと、子どもに「悪い行いをやめさせ、正しい行いを身につけさせる」、そして、自分も幸せになり、他人も幸せにする人生を送ってほしいからです。

ところが、叱《しか》り方《かた》を間違《まちが》えると、子どもの自己肯定感《じここうていかん》を損《そこ》ない、「自分はダメな人間なんだ」「生きていても価値のない存在」と、追《お》い詰《つ》めてしまいます。それでは、自分も他人も大切にすることはできません。

ちっとも叱《しか》らない子育ても確かに問題ですが、それよりも、

叱《しか》りすぎて子どもを不幸にしているほうが、はるかに多いのです。

幸せな子どもを育てるためには、叱《しか》るより、ほめるほうが有効な理由を、具体的に挙げてみましょう。

① 子どもの心の成長にいちばん大切な、自己肯定感が育まれる

ほめられることによって、自《じ》己《こ》肯《こう》定《てい》感《かん》という、心の土台が築かれます。

自《じ》己《こ》肯《こう》定《てい》感《かん》はほめられることによって育ちます
ありがとう
大好きだよ
この土台がしっかりしていれば
いっぱいほめられて育った!
どんっ
自己肯定感
おまえは下手だから入れないよ
えーっ
さまざまな困難があっても
よーし
がんばるぞー!!
自己肯定感
たくましく幸せに成長していくことができます

②ほめることによって、親子の信頼関係が作られる

信頼関係《しんらいかんけい》があると、たとえ叱《しか》っても「親は自分のために叱《しか》ってくれているんだ」と感じます。しかし、子どもが親に心を閉ざしている状態では、叱《しか》っても心に入らないどころか、「親は自分を嫌《きら》いなんだ」と思ってしまいます。

ほめることによって親子の信頼関係《しんらいかんけい》が作られます
お母さんはボクのことが好き
ボクもお母さんが大好き
HAPPY
信頼関係《しんらいかんけい》があると――
こんなことしたらダメじゃないの
お母さんはボクのために言ってくれているんだ
信頼関係《しんらいかんけい》がないと――
こんなことしたらダメじゃないの
やっぱりお母さんはボクのこと嫌《きら》いなんだ……

③ ほめるほうが、叱るよりも、よい習慣が身につきやすい

ほめられると、またやろう！と意欲がわくのは、大人も同じですよね。逆に叱《しか》られてばかりだと、すねたり、聞き分けが悪くなったりして、よい習慣が身につきにくくなります。お母さんもイライラして、悪《あく》循《じゅん》環《かん》になってしまいます。

✕ 叱られてばかりだと、すねて悪循環に

また出しっぱなし！
片づけなさいって言ったのに!!
ちぇっ
ピコピコ
ちょっと！ゲームやったなら片づけてよ
1回1回言わせないで!!
はーっ
また脱《ぬ》ぎっぱなし!!
イライラ
イライラ
イラ〜ッ
もーーっ
いいかげんにしてー!!
どうしてこれくらいのことができないのよーっ!!
ゴゴゴ…
フン！
どーせボクなんか

○ ほめられるほうが、やる気が出る

わー自分で片づけてるーっ
お母さん助かるわ！
さすがはお姉ちゃんだね
えへへへ……
よーし、もっとやるぞー
ささささ〜っ
スゴイ！食器も片づけてる!!
父ちゃんもよろしく
おーっ!!
育児をしながら家事もできるなんて、おまえはスゴイな
ふふふっ
えー当たり前よ

母もほめられるとやる気が出ます！

④叱りすぎると、失敗を隠し、ウソをつくようになる

厳しく叱《しか》りすぎると、「なぜそうしなければならないか」を学ぶ前に、「いかに叱《しか》られないか」で行動するようになるため、失敗を隠《かく》し、ウソをつくようになります。

今朝言ってた写真、渡《わた》しといてくれた？
あっ!! 忘れた!!
でも本当のことを言ったら多分……
あんたなんかに頼むんじゃなかった!
ガミ ガミ ガミ ガミ ガミ
渡《わた》したよ。ありがとうって言ってたよ
ふうん
あれ、そんなピン留めつけてたっけ？
友達のがうらやましくて取っちゃったんだけど、そんなこととても言えない……
このドロボウ!!
ガミ ガミ
お友達にもらったの
あっそう

⑤叱られる恐怖心がなくなったとき、ルールを守れなくなる

「叱《しか》られるのが怖《こわ》いからやらない」のは、本当にルールが身についたのとは違《ちが》います。成長して恐怖心《きょうふしん》を感じなくなったときに効力を失い、自分の行動がコントロールできなくなります。

13

それは本当に
叱るべきこと
なのでしょうか？

叱《しか》り方《かた》を学ぶ前に、もう1つ、考えてみたいことがあります。

それは、「この行いは、本当に叱《しか》るべきこと？」という点です。

私たちは、意外と叱《しか》るべきではないこと、叱《しか》ってもしかたがないこと、叱《しか》らなくていいことを叱《しか》っています。

それは、大きく分けて、2つあります。

① まだ、わかる年齢《ねんれい》になっていない

② 親にとっては困ったことだが、人に迷惑《めいわく》をかけるほどではないこと

(1) まだ、わかる年齢になっていない

1歳まで

たとえば、1歳ぐらいまでの子どもは、自分の気持ちはわかっても、他人の気持ちを知ることはできません。状況《じょうきょう》を把握《はあく》することもできません。ですから、**この時期の子どもに、**

ルールを作って守らせようとしても、無理な話です。

それより、子どもが危ない目にあわないよう大人が環境《かんきょう》を整えることが中心になります。

× 1歳までの子は、ルールを理解することはできません

はっ
だー♡
コラ!!
アイロンには触《さわ》っちゃダメ!! わかった!?
ふえっ……
あーっ その引き出しは開けないってお約束だったでしょー
もーっ 階段を上《のぼ》ったら危ないでショー!!
いいかげんわかってよ!
?
ぴゅうっ

○危ない目にあわないような環境作りが大切です

使い終わったアイロンはすぐに、子どもの手の届かない所へ片づけよう
あ、コードも
引っ張る可能性大
ハサミの入った引き出しは、開けられないようにロックを取りつけよう
あ、階段に行った！
そばについていなくちゃ

1歳～2歳

1、2歳の子どもは、親の言葉や指示をだいぶ理解できるようになります。ところが、それに従うことはできません。1歳半を過ぎると何かにつけて、「イヤ」「やだ」と言うようになります。これは自我が芽生えてきたことで、子どもの心が成長してきたあかしです。

✕ まだ言うことを聞けない、1、2歳の子を叱りつける

この時期に大切なのは、叱《しか》るというより、状況《じょうきょう》を言葉で説明することです。

「これは、アチチだよ」「危ないからナイナイしようね」などです。

○ なぜいけないかを、言葉で説明する

2歳〜

2歳を過ぎると、子どもは相手の言っていることを理解できるだけではなく、自分の意志をかなり上手に伝えられるようになります。**親の言うとおりにしたり、指示にきちんと従ったりすることは難しいですが、先の見通しを持たせると、少しはガマンできるようになります。**ただ、ほかの子と上手に関《かか》わることはできず、わがままを言ったり、人の物を取ったりします。

決められたルールに従えるようになるのは、もう少し先のことですが、ダメなことはダメと伝え、「順番だから次にしようね」など、見通しを持たせて話をすることが大事です。

× 2歳児同士のケンカを一方的に叱る

○ 先の見通しを、わかるように伝える

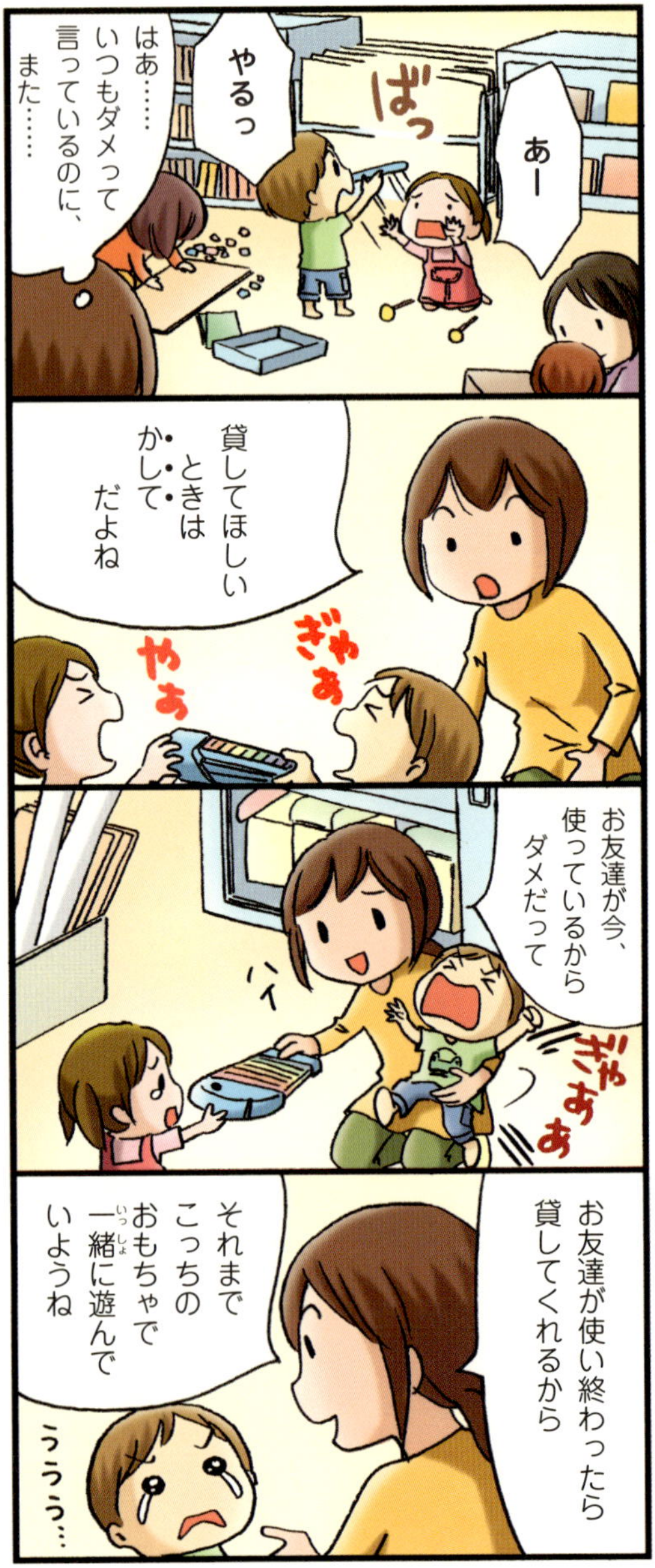

あー
ばっ
やるっ
はあ……いつもダメって言っているのに、また……
貸してほしいときは かして だよね
ぎゃあ
やあ
お友達が今、使っているからダメだって
ハイ
ぎゃあああ
お友達が使い終わったら貸してくれるから
それまでこっちのおもちゃで一緒《いっしょ》に遊んでいようね
ううう…

3歳～

3歳を過ぎるころから、子どもはようやく、少しずつルールを守れるようになります。
そこで、親は、
・何が正しい行動で、何が悪い行動なのか
・どうしていけないのか
を、**一緒《いっしょ》に考えて、繰《く》り返《かえ》し教えることが大切になります。**

(2) 親にとっては困ったことだが、人に迷惑をかけるほどではないこと

私たちは、ついつい、言われたことをしないとか、ぐずぐずしてさっさとやらないとか、早く食べない、物をこぼす、壊《こわ》す、引《ひ》っ繰《く》り返《かえ》す、片づけをしない、着替《きが》えを嫌《いや》がる、イタズラする、汚《きたな》い物を触《さわ》る、宿題をしない、などで怒《おこ》ってしまいます。

これらは、確かに困った行動ですが、ただちに命にかかわるような大問題ではありません。子どもの性格でどうしようもないこともありますし、イタズラは、心の成長に欠かせない部分もあるので、決して悪いことばかりではないでしょう。

子どもとは、元来、自己中心的で、失敗ばかりして、言うことを聞かないものです。

それでこそ、ふつうの子ども。別に育て方が悪くてそうなっているのではないし、子どもには子どもなりの理由があってやっているのです。

自己中心的というのは、「自分を大切にする」ことです。子どもは、他人を大切にする前に、自分を大切にする

ことを学ばなければなりません。その行動が、子どもの場合、自己中心的に見えるのです。失敗も、それによって学ぶ機会を得ているという意味では、決して悪いことではありませんし、言うことを聞かないのも、自我が芽生え、自己主張が出てきている、ということでいえば、順調に心が成長している証《しょう》拠《こ》です。

ダメ!!
ぼくも使いたい〜

自己中心的なのは「自分を大切にする」こと

わぁっ

失敗によって学んでいます

おフロに入るよ!
やだ

言うことを聞かないのは自我の芽生え

もちろん、注意してよくなるのなら親も助かりますが、現実は、注意してもなかなか変わりませんし、逆に何でもかんでも叱《しか》っていると、親のほうが疲《つか》れてきます。そんなときは、
「子どもというのは、こういうもの」
「今はわからなくても、そのうちできるようになるだろう」
と考えて、1度叱《しか》ったら、あとはちょっと放っておくというのも、あっていいのではないかと思います。

ですから、**大声を出して感情をむき出しにしてでも叱《しか》らなければならないことは、自分を傷つけることと、他人を傷つけること、この2つしかないと思います。**

自分を傷つけるとは、車道に飛び出す、危険な場所で遊ぶなど。他人を傷つけるとは、暴力とか、火遊びなどです。

それ以外のことは、子どもの発達段階と、親の心のゆとりを考えながら、少しずつ伝えていけばいいのではないかと思います。

これがふつうの子どもなのか……

子ども心は難しいなぁ……
お父さんなんて大嫌い!!

Dr.あけはしの、ホッとする一言

完璧《かんぺき》なんてできません。

子どもが生まれたときは、親も１年生。

お互《たが》い失敗しながら成長していくのです。

14

よい子に育てようと思ったら、親がまずよいことをしていくのです

子どもの悪い行動をやめさせ、正しい行動を身につけさせるときに、いちばん有効なのは、**「親が身をもって示すこと」**です。

親が、子どもにしてほしい、と思うことを、親自身がふだんから子どもの前でしていく。

逆に、してほしくないことは、親がまずしないようにすること。

子どもは、大人のよい行動も悪い行動も、そっくりそのまま、まねていきます。

口で言うことよりも、目で見たことのほうが、子どもの行動に大きく影響《えいきょう》するからです。

礼儀《れいぎ》正しい子に育てようと思ったら、親がまず礼儀《れいぎ》正しくしていくことです。

子どもに、「人をたたいてはいけない」と教えているのに、親が子どもをたたいていては、子どもは、「やっぱり相手が悪いときにはたたいていいんだ」と思ってしまいます。

「子は親の鏡」といわれるのは、そのためなのです。

● してほしい行動は、まず親が示していく

だれにもほめて
もらえないけど
私はだれよりも
りっぱな仕事を
しているんだ！
まんまーっ
まんまーっ

Dr.あけはしの、ホッとする一言

子育ては、一人の人間を育てるという、
りっぱな仕事です。
そんな大切な仕事をしているという、
自信と誇《ほこ》りをぜひ持っていてください。

15

叱り方その❶

叱るときは、子どもを止めて、目を見て、短い言葉で

では、これから叱《しか》り方《かた》のポイントをいくつかお伝えしたいと思います。

子どもを叱《しか》るときは、まず、何を叱《しか》っているのか、子どもにちゃんと伝わる必要があります。

そのためには、子どもを止めて、子どもと同じ高さに目を合わせて、じっと見つめて、平静に短い言葉で、注意することが大切です。

たとえば、子どもが、ご飯のとき、スプーンやフォークをくわえたまま、立ち歩いたり、ふざけたりして危ないとします。

まず大切なのは、子どもを止めることです。走り回ってキャアキャア言っているときに、離《はな》れた所で叫《さけ》んでも、子どもは聞いていません。子どものそばまで行き、体を抱《だ》き止《と》めて、そこで目を見て伝えることが大事です。

また、感情的にワーッと言ってしまうと、子どもは結局、何を叱《しか》られたのか、どうすればいいのかわかりません。叱《しか》られて、怖《こわ》い思

いはしても、「何がいけなかったのか」は、子どもには意外と伝わっていないことが多いのです。

× 離れた所から感情的に叫ぶ

~♪
コラ！まだ食事終わってないでしょ！
遊びに夢中
いいから
早く食べちゃいなさい!!
カシャ
カシャ
はい チーズ☆
ぐしゃぐしゃ
も〜〜っ
あははは
いいかげんにしなさいっ!!
どれだけ親の言うこと無視すれば気が済むの!!
バンッ
わっ
ビクッ
今初めて聞こえた↓

ですから、できるだけ平静な声で（といっても、なかなか平静ではいられませんが……）、簡潔に、「危ないから、座って食べなさい」と、きちっと伝えるのです。

○ 子どもを止めて、目を見て平静に

~♪
コラ！まだ食事終わってないでしょ！
ちょっと待って
遊ぶのはご飯が終わってからでしょう
食べ終わったら一緒《いっしょ》に遊ぼうね
はーい
座りましょう

16

叱り方その❷

大好き！が伝わるための、3つの大切なこと

注意をするときに大切なのは、次の3つのことです。

①人格ではなく行為《こうい》を叱《しか》る
②ちゃんと理由を伝える
③「～してはダメ」よりも、「～してね」

①人格ではなく行為を叱る

大切なことは、人間ではなく、行為《こうい》を注意すること。いけないのは、存在自体ではなく、行為《こうい》だからです。

×
おまえはなんてダメなんだ
人格を否定
○
～するのはよくない
行為を否定

× 人格を否定する

ゴッン
いたぁい
貸せって言ってんだろー
ああっコラ！
なんて乱暴な子なの!!
そんなことする子はうちの子じゃありません
どうせボクはいらない子なんだ…
あっ
ダメダメ!!
飛び出すなって何度言われたらわかるの！
ほんっとにおまえはダメな子だね!!
どうせボクは何をやってもダメなんだ

○行為を叱る

ゴッン
いたぁい
貸せって言ってんだろー
ああっコラ！
貸してほしいからといってお友達をたたくのはよくないよ
貸してほしいときは貸してってって言おうね
あっ
ダメダメ!!
いきなり飛び出すのは危ないから絶対やめて
必ず1度止まるのよ！

② ちゃんと理由を伝える

どうしていけないのか、その理由をちゃんと伝える。

子どもであっても、わかる言葉で理由を言えば、わかることもありますし、納得すれば、そのあと協力するようになるかもしれません。

「子どもなんだからわからない」と思わずに、ちゃんと理由を伝えていくのです。

そもそもルールとは、何のためにあるかというと、相手への思いやりです。

ただ「こんなことしちゃダメ！」と叱《しか》るより、「相手がこのように困るから、これはしてはいけないんだよ」と伝えることで、思いやりから、ルールを守れる子どもに育っていくのではないでしょうか。

✕ 理由を言わずに無理やりさせる

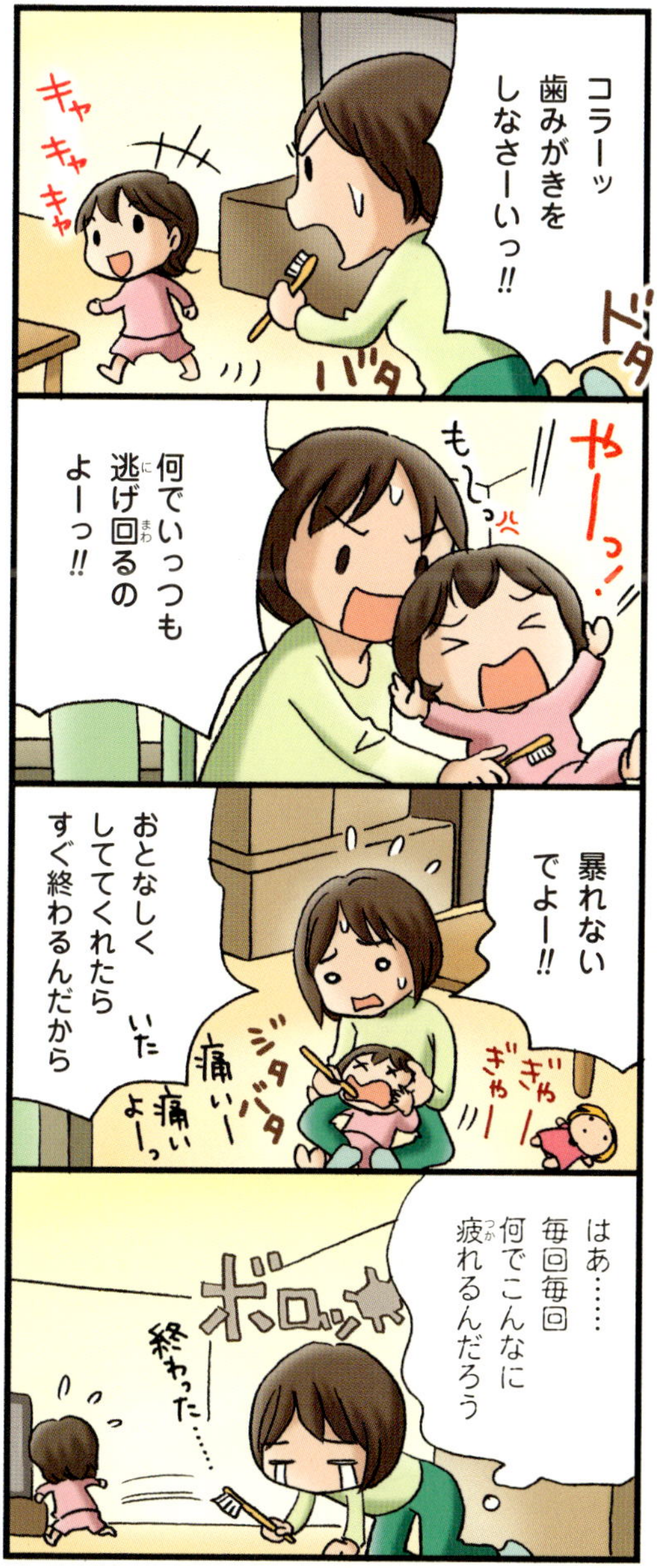

○ きちんと説明する

いい？ 歯みがきをしないと 虫歯菌《むしばきん》が歯に すみついちゃうのよ
虫歯菌《むしばきん》は 少しずつ なおちゃんの 歯を溶《と》かして 穴を開けちゃうの
そしたらもちろん 歯も痛くなるし
歯医者に行って 歯を削《けず》らなきゃ いけなくなるのよ
そんなの嫌だよね
そうならない ように、 お母さんが なおちゃんの歯を ピカピカにするからね
任せて！
どれどれ。 あっ！ 虫歯菌《むしばきん》発見！
大丈夫《だいじょうぶ》よっ 今、お母さんが 追い出しちゃう からね～

③「～してはダメ」よりも、「～してね」

　私たちは、つい「ダメ！」と言う割りには、「ではどうすればいいのか」を伝えていません。そうすると、子どもも、今後どうすればいいのかわからなくなります。

　むしろ、場合によっては、**「してはダメ！」と言うよりは、「してほしいこと」を伝えることが有効な場合があります。**

　4、5歳になったら、どうすればいいかを伝える前に、「どうすれば忘れ物をしないかな？」と、一緒《いっしょ》に考えるようにすると、さらによいかもしれません。

　人から言われたことより、自分で考えて出した答えのほうが身につきやすいからです。

×
忘れ物をしたらダメ
○
持ち物を点検しよう
よしっ

× ～してはダメ

廊下《ろうか》は走るな！
ドタ
バタ
散らかしちゃダメ!!

○ ～してね

廊下《ろうか》は歩きなさい！
ドタ
バタ
片づけようね

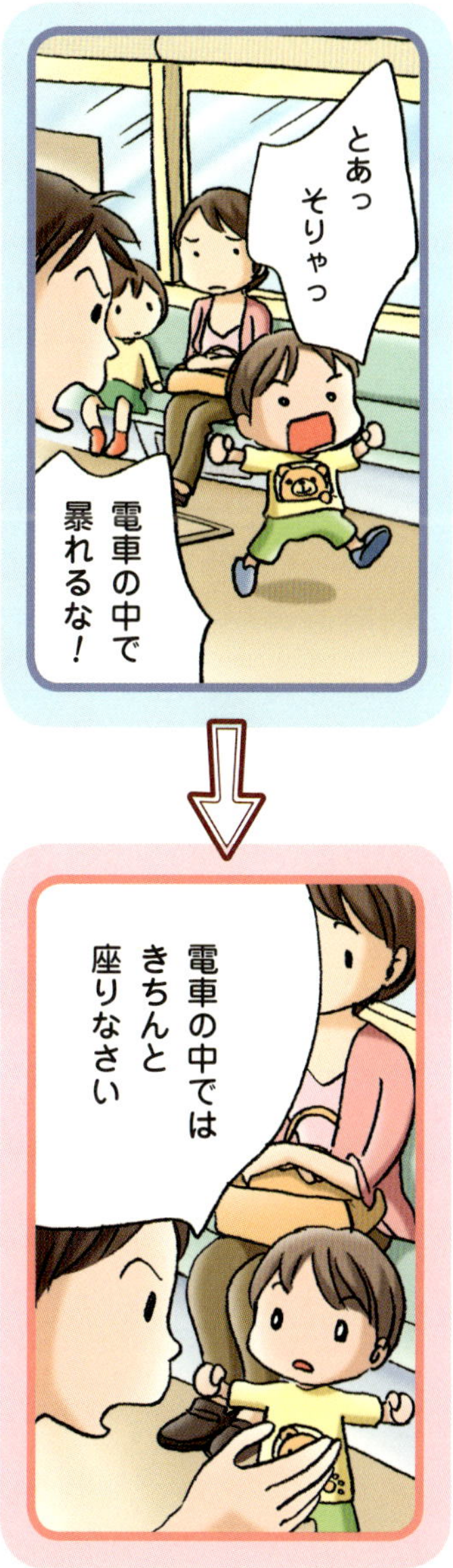
とあっ
そりゃっ
電車の中で
暴れるな！
電車の中では
きちんと
座りなさい

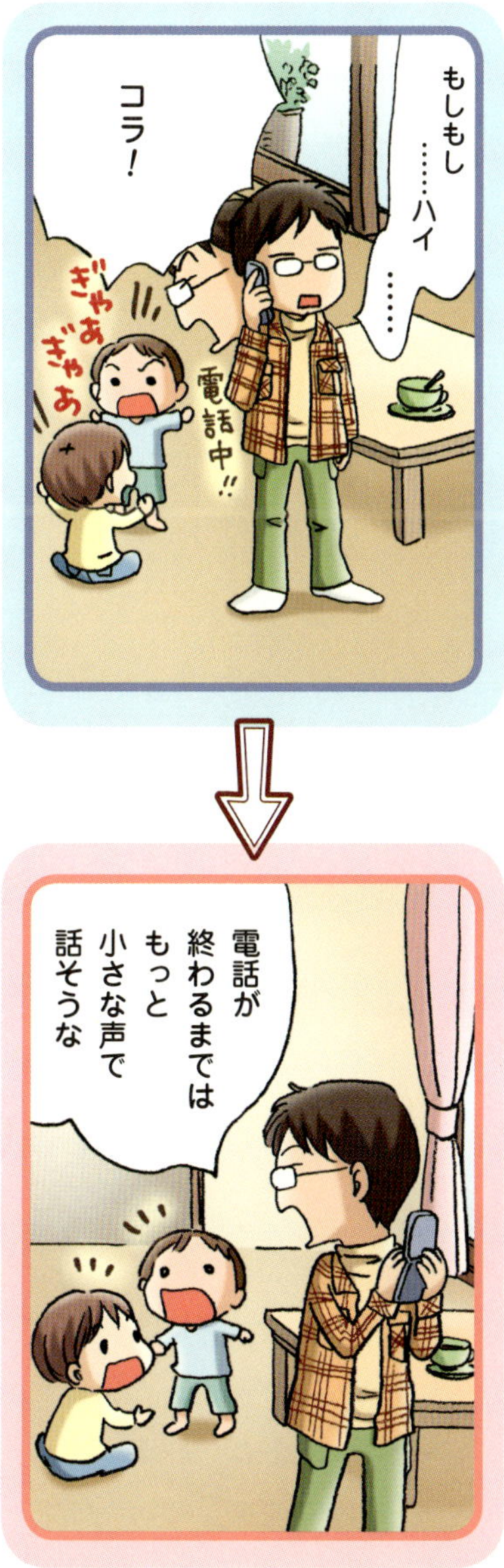
もしもし
……ハイ
……
コラ！
ぎゃあ
ぎゃあ
電話中!!
電話が
終わるまでは
もっと
小さな声で
話そうな

17

叱り方その3

この一言を添えると、注意を受け入れやすくなります

注意するときは、それだけに終わらず、相手を認める言葉も必ず添《そ》えることが大切です。

そうすると、**「この人は自分のことをわかってくれている」「自分のことを考えて言ってくれているんだ」と思えて、受け入れやすくなります。**

「気持ち」と「行動」を区別して、「気持ち」は認めるけれど、「行動」はよくないと注意する、とも言《い》い換《か》えられます。

18

叱り方その4

「あなた」メッセージではなく、「わたし」メッセージで

相手に、こうしてほしい、これはやめてほしい、ということを伝えるときに、「あなたは、○○だ」と言うのでなく、「私は、○○だ」と、**私の気持ちを相手に伝えるほうが、より相手の心に響《ひび》くといわれます。**

相手のよい行いに対して、私はうれしい、助かった、安心した、ありがとう、という言葉をかけていく。

相手のよくない行いに対して、私は悲しい、困った、心配だ、残念だ、という言葉をかけていく、ということです。

「おまえは、なんてダメなやつなんだ」と言われて、逆ギレして、少しも反省できなかった子どもでも、「お母さんは悲しい」と一言言われることで、自分の行動を少しずつ振《ふ》り返《かえ》り、改めていくことがあります。

私は
悲しい
困った
心配だ
残念だ

×「あなたは○○だ!」と、決めつける

ちょーだいっ!
ばっ
あーっ
人の物を取ったりして、なんてわがままな子なの!!
わーんっ
メラ
メラ
ただいまー
5時までに帰ってきなさいって言ったでしょ!
あんたはいっつも約束破るんだからっ
別に……
いつもじゃないし!

○「お母さんは心配」と、わたしメッセージで叱る

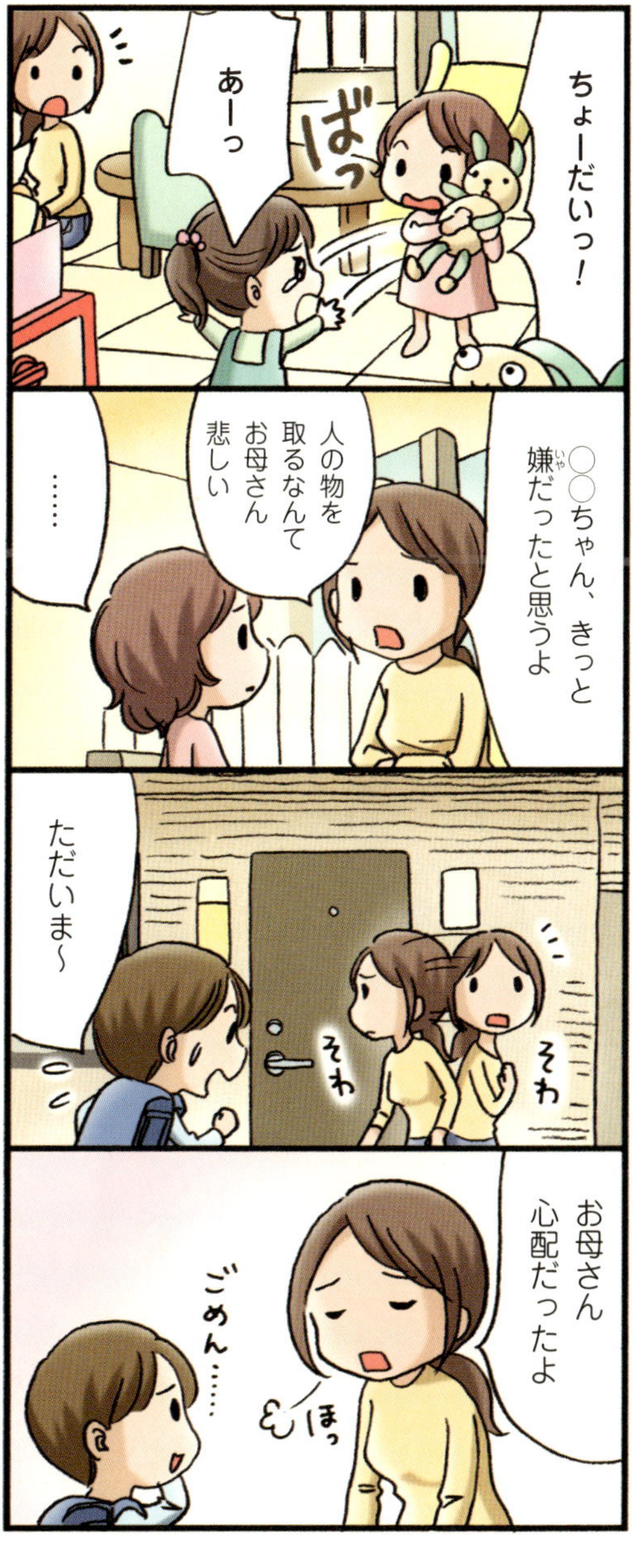

19

叱り方その5

子どもは、言っても言っても同じ失敗をするものです

私たちは、注意は1回だけで済んでほしいと思います。

何度も何度も同じ注意をするのは、いいかげん嫌《いや》になってきます。

しかし、**子どもは、言っても言っても同じ失敗をするものです。ですから、何度も同じことを繰《く》り返《かえ》し言うしかないのです。親の言い方が悪いのでもなく、子どもが特別悪い子なのでもなく、子どもというのは、元来そういうものなのです。**

1回言ったらわかるでしょう、というのは大人の話です（大人でもなかなか1回の注意で自分の行動を改めるのは難しいです）。

それを子どもに、1回の注意で聞かせようとするならば、相当子どもの心にショックを与《あた》えなければならなくなります。本当に危険なことは、多少ショックを与《あた》えてでも言うことを聞かせる必要があるかもしれませんが、日常のことまで1回で聞かせようと思うと、ついつい声も大きくなりますし、手も出してしまいます。そういうことがたびたびあると、子どもは、自らルールを守ろうとするよりも、常に大人の顔色を見て行動するようになりますし、下手をすると、心にかなり深いダメージを受けていることもあります。

ですから、とにかく同じことを口をすっぱくして言わないといけないものなのだ、そうするうちに、少しずつ子どもも成長して、身についていく、ということです。

× 1回の注意で言うことを聞かせようとすると……

○「根気強い繰り返し」と、少しずつ教えていく

遊んだあとは片づけなさいと、いつも言ってるだろう！
父さんも片づけるから手伝ってくれよ
3時間後――
またいぶ散らかしたなー
さあ片づけるぞ！
さっぱりすると気持ちがいいな
うん！

叱らないで、よくない行動をやめさせる方法

子どもがよくない行動をしているとき、いちいちガンガン叱《しか》っていると、こちらも疲《つか》れてきます。そこで、叱《しか》らずに子どもの行動を変える方法を知っておくと、少し省エネできることがあります。

① 目先を変える

小さい子が、触《さわ》ってほしくない物に手を出そうとしている、おもちゃではない物をいじろうとしているとき、「それはダメ！」と叱《しか》るのも1つの方法ですが、もう1つ、「○○ちゃん、こんなのあるよー」と、別のおもしろそうな物を見せて、目先を変える方法です。こうすると、叱《しか》らなくても、子どものよくない行動をやめさせることができます。

見て!!
UFO!!
わー
こりゃスゴイ

② よくない行動は取り合わない

もう少し年齢《ねんれい》が大きくなって、子どもがかまってほしいために、わざと悪いことをするときがあります。そういうときに叱《しか》ると、よけい、ぐずったり、ギャーギャー言ったりして、どんどん悪循環《あくじゅんかん》になり、子どもも泣くし、親も泣きたくなることがあります。

そんなときは、悪い行動をしている間は、取り合わない。無視する。そうすると、子どももつまらなくなって、やめることがあります。やめたらすかさず、「やめてくれてありがとう」と伝える。よくない行動は、しないほうがかまってもらえるし、気持ちがいいことを学んでいくのです。

20

どうしてもイライラして叱ってしまうとき

子どものほめ方、叱《しか》り方《かた》について書いてきましたが、「それでも、どうしても子どもをほめることができない。頭ではわかっていても、子どもを前にすると、ついイライラしてキレてしまう。そんな自分にまた落《お》ち込《こ》む。いったいどうしたらいいでしょうか」と、よく聞かれます。

そんな親御《おやご》さんには、私はこう伝えています。

「キレる」というのは、少なくとも、それだけ子どもに関《かか》わっている証拠《しょうこ》です。

関《かか》わりのないところに「キレる」という現象は起きません。毎日、子どもに一生懸命《いっしょうけんめい》関《かか》わって、こうしたら、ああしたらとやっているから、思うようにならなくてキレるのです。

ですから、そういう意味では、キレるのもOK。

子どもの側《がわ》もそれなりに、柔軟《じゅうなん》さとか、回復力を持っていて、実際には、そんなにすぐに、取り返しのつかないことにはなりません。たとえそのときはキレてしまっても、後から「あのときは、こういう理由があるから、あんなに怒《おこ》ったんだよ」と理由を伝えるとか、「でも、ちょっとお母さんも怒《おこ》りすぎたね。ごめんね」と話すことで、フォローできることもあります。

●ついキレてしまったときは、後で気持ちを伝える

親だって、自分の気持ちをコントロールできないこともある、だから、子どもも、聞き分けられずに、泣いたりわめいたりすることもあって当然、と気づくなら、逆に、子どもにも、自分にも、少し優しくなれるかもしれません。

どうしてもキレてしまうという親御《おやご》さんの話を聞いていると、よくあるのは、その人自

身が、とてもまじめ、がんばり屋さん、あるいはきちょうめんな場合です。

中には、子どもの一挙手一投足が、全部自分の育て方のせいだと思ってしまっている場合があります。そうなると、子育てがどうしてもつらくなります。

しかし、子どもというのは、もちろん育て方もありますが、それ以上に大きいのが、持って生まれた性格です。同じように育てていても、「きょうだいで、どうしてこんなに違《ちが》うんだろう？」というのは、やはり持って生まれたものが違《ちが》うからです。

生まれた時点で、ある程度決まってしまっている。あとは、なるようにしかならん、と気を大きく構えるのもいいんじゃないかと思っています。

「じゃあ、何で子育ての本なんか書くのよ！」という突《つ》っ込《こ》みが聞こえてきそうです（笑）

もちろん、育て方の部分もあるからですが、それでも、持って生まれた部分のほうが大きい。でも、それは決して悪いところばかりじゃない、いいところもたくさんあるはずです。

ですから**「子育て」というのは、子どもが今すでに持っている、いいところを発見することから始まるんじゃないか、と私は思っています。**今のこの子の中に、絶対いいところがすでにあるんですから。それを見つけて伸《の》ばしていく、ということです。

私たちは、ついつい、大人の力で子どもを変えようと思っています。しかし、変えなきゃならないということは、今のあなたではダメだ、ということです。否定のメッセージです。ですから、子どもを変えよう、変えようと思っているままが、子どもに、今のあんたではダメだ、ダメだ、と否定のメッセージを送り続けている。そのことに私たちは案外、気づいていないのです。

もちろん、変えなきゃならない部分もありますが、変えなくてもいい、そのままでいいところもたくさんあるはずです。

ですから、あまりにも子どもにキレてしまうときには、「今のままでじゅうぶん」と、ちょっと肩《かた》の力を抜《ぬ》いてみる。

平たくいうと、「あきらめる」（笑）ということです。

あきらめてどうするんだ！と思う人もあるでしょうが、この子は、こういう子なんだ、これで精いっぱいなんだ、だれが育てても、この子は、こういう子なんだ、と思っ

ただいまー
遊びに行ってきまーす
ヒラッ
10
これがうちの子なんだ。まあいっか

て眺《なが》めてみると、意外と子どもなりのがんばっているところ、いいところが、見えてきたりするんじゃないかと思います。

× 否定のメッセージを送り続ける

1つのことができないからといって、全部できないわけではありません。今できなくても、成長とともにできるようになることもあります。「今はできないんだ」とあきらめて、少し時間を置いて待つ、ということです。

○今はまだできないんだ、と待ってみる

今日は、いったん
あきらめよう
ぐちゃ
ぐちゃっ
今はまだ
ちゃんと
食べられる
時期じゃ
ないんだ。
しかたがない
ダラダラ
いつかは
ちゃんと
食べられる
ように
なるんだし
――あれ！
ごちちょー
にゃむにゃむ
ぱち
ぱあっ
今ごちそう
さまって言った
のね！
すごいねっ
よい面に目を
向けたほうが
ずっといいわっ

Dr.あけはしの、ホッとする一言

けっこういい親やってるよ。
子どももちゃんと育っているよ。
毎日見てると、気づかないかも
しれないけれど。

イーモームーシー

Q&A
始まるよ！
ゴーロゴロ〜♪

Q1 言うことを聞かないのは、私が甘いから？

Q 2歳の子ですが、とにかく言うことを聞きません。私が甘《あま》いから、こんなにわがままになるのではないかと思っています。言うことを聞く方法があるのでしたら、ぜひ教えてください。

A 2歳という年ごろは、第一反抗期《だいいちはんこうき》（第一自立期）のピークに当たり、とにかく手がかかります。「魔《ま》の2歳児」とか、外国でも、「テリブル・ツー（やっかいな2歳児）」といわれ、恐《おそ》れられているのです（笑）

ですから、**「とにかく言うことを聞かない」のは、お母さんが甘《あま》いからそうなっている**

のではなく、ふつうの2歳児の行動なのです。

「いや、いや」とか、「自分で、自分で」と（できもしないのに……）自己主張ばかりして、親の言うことを聞きません。なら、自分でやってみなさい、とやらせてみると、やっぱり失敗。「だから言ってるでしょー！」と、ついついキレてしまうことの繰《く》り返《かえ》しです。

しかし、発達段階からいうと、しっかり自己主張が出てきたのは、子どもの心が自立に向かっている証拠《しょうこ》です。むしろ、ちゃんとお母さんが育ててこられたからこそ、順調に自立心が芽生えてきたのです。親子関係がしっかりできているから、子どもも安心して、自我を出すことができるのです。

「反抗《はんこう》したら一安心」で、とりあえずここまで育ってきたか、よしよし、と安心していいのです。

それを「甘《あま》くするとわがままになる」と思って、逆に反抗《はんこう》をガンガン叱《しか》って抑《おさ》え込《こ》んでしまうと、表面的にはおとなしくなりますが、自立心を奪《うば》われて、生きる意欲そのものが低下してしまうことがあります。

今はたいへんかもしれませんが、第一反抗期《だいいちはんこうき》が終わる、3歳後半から4歳くらいには、いったん落ち着いてくるものです。それまでは、しばらくつきあうしかないとあきらめて、基本的には子どものペースに合わせることが必要です。自分の気持ちをわかってもらえることで、逆に子どもは安心して落ち着いてくるのです。

× 甘えをはねつけてしまうと……

あなたが甘《あま》やかしているから言うことを聞かなくなるのよ
やだー
やだー
やっぱりそうなのかしら……
甘《あま》えは許しません!!
ガン
ガン
ガン
反抗
自分で〜
自分で〜
ダメー!!
粉砕!!
ガン
ガン
ガン
反抗
自分で〜
あ〜っ
おど
おど
おど
自分のしたいことを言ったらダメなんだ……

○気持ちをわかってもらえると、安心して落ち着く

あなたが甘《あま》やかしているから、言うことを聞かなくなるのよ
やだー
やだー
でも、言うことを聞かないのは自立に向かっている証《しょう》拠《こ》
ジタバタ
まだあしょぶっ
あしょぶー!!
今はそういう時期なんだから
しばらくつきあうしかないわ
そうだね、まだ遊びたいよね。わかるよ
お母さんがギュー♡してあげるからね
よしよし
やだーっ
えーん

ただ、だからといって、全部が全部、子どもの言いなりになるのではありません。2歳児とはいえ、ダメなものはダメ、と言わなければならないこともあるでしょう。あるいは、少し目先を変えるとか、「どっちにする？」と、子どもに選ばせることで、言うことを聞かせる方法もあります。

どうしてもできないときは、「今はまだできないんだ」と、いったんあきらめる。

そのうえで、たとえば遊び食べなら、「こういうふうにするんだよ」と、まず親が手本だけ示しておく。聞いていないようでも、子どもなりに自分の行動を客観的に見るきっかけとなり、やがて改まっていくことがあります。

目先を変えたり、選択させたりすると、うまくいくことも……

Q2

片づけができるようになるには、どうしたらいい？

Q 部屋《へや》におもちゃを広げるだけ広げて、いっこうに片づけようとしません。毎回、「片づけなさい！」とか、「大切にしないなら、捨てちゃうよ」と言うのですが、最後は親がやることになります。どうすれば習慣が身につくでしょうか。

A しつけの中でも、お片づけをどうやって習慣づけるかは、どんな親御《おやご》さんも悩《なや》んでいることだと思います。なかなか難しいし、時間がかかるのですが、その「お片づけ」について、基本的なことを書きたいと思います。

「片づけると気持ちいい」という感覚を育てる

まず、小学校低学年までの子どもは、片づけの必要性もわからないし、片づいて気持ちがいい、という気持ちも育っていません。ですから、ただ「片づけなさい！」とどなっていても、あまり効果はないのです。「片づけると気持ちいい」という感覚を育てながら、少しずつ習慣づけていくことが大切です。

そのための第一歩は、環境《かんきょう》を整えることです。

①いつも使うおもちゃを減らす

まず、おもちゃを減らすことから始めます。

今の家は、往々にしておもちゃが多すぎます。

でも、子どもは、おもちゃ箱をいちいち全部引《ひ》っ繰《く》り返《かえ》して出さないと気が済みません。

ですから、子どもと相談して、よく使うおもちゃをおもちゃ箱に入れ、あまり使わないお

もちゃは、段ボール箱などにまとめて押《お》し入《い》れの奥《おく》にしまいます。まずは、おもちゃの数を減らすことが大切です（といっても、遊びにはある程度の豊かさも必要なので、片づけを意識するあまり、制限しすぎるのも考えものですが）。

②子どもが片づけられる箱を用意

次に、子どもが片づけやすいおもちゃ箱を用意します。あまり細かいと難しくなるので、大まかに分別できる程度のおもちゃ箱や引き出し、戸棚《とだな》などでかまいません。

③おもちゃを広げる範囲を決める

「子どもは散らかすもの」とわかってはいても、どうしてもイライラする場合は、おもちゃを広げてもいい場所を決めます。自分の部屋《へや》なら部屋《へや》。それ以外には広げないように約束します。

どっちが先に入れられるか競争しよう！
それーっ

④ お片づけの時間を設定

しっかり片づけるのは、1日1回が限度でしょうから、夕ご飯前に片づける、という約束でもいいと思います。

⑤ 一緒にやる

ぬいぐるみはここ、絵本はここ、ゲームはここ、というふうに、まずは親が要領を示しながらやっていきます。

そのうち、子どもが関心を示してきたら、子どもにも役割を与《あた》えて、「じゃあ、○○ちゃんは、ぬいぐるみを片づけてね」と伝える。そして、やってくれたら、「ありがとう」と言います。

片づいたら、一緒《いっしょ》に部屋《へや》を眺《なが》めて、「きれいになったね」「きれいだと気持ちがいいね」と、一緒《いっしょ》に気持ちよさを味わいましょう。

そういうことを繰《く》り返《かえ》しながら、少しずつ子どもの役割を増やしていくことが大切です。

やる気を育てるのがいちばん。時には肩の力を抜いて

ポイントは、当分は親が一緒《いっしょ》にやるということと、子どもに役割を与《あた》えて、やったら「ありがとう」とほめて、やる気を育てていくことです。

つい私たちは、子どもに、「片づけなさい！」と言葉で指示するだけで、どのように片づけていくかを教えていないことが多いです。片づけなかったら、今度はどなりながら、お母さんだけで片づける（それを子どもはびくびくしながら見ている）ことも、よくあります。親がまったく一緒《いっしょ》にしないか、全部やってしまうかの両極端《りょうきょくたん》になっているように思います。

とはいっても、一緒《いっしょ》にやろうと誘《さそ》っても、なかなか片づけようとはせず、イライラすることがほとんどかもしれません。**キレてしまいそうなときは、「片づけしなくても、とりあえず、死ぬことはないわ」と開き直って、明日に回しましょう。**

小さな子どものいる家で、きちんと整理整頓《せいりせいとん》されているところは、まずありません。子どもも毎日それなりに成長しています。今できないことでも、来年はできるようになるかもしれません。少し肩《かた》の力を抜《ぬ》きながら、ぼちぼちやっていきましょう。

× どなりながら、親が全部やってしまう

○子どもと一緒に片づける

さあ、片づける時間よ
一緒《いっしょ》にやろうね
えー
その人形はこの箱に入れてね
一緒《いっしょ》に人形を集めよう！
ありがとう！
次は本を片づけようか
うん
すっかりきれいになって気持ちがいいね
やったー♡

Q3

なかなか寝つかないのが心配

Q 9時には寝《ね》かせたいのですが、なかなか寝《ね》ません。途《と》中《ちゅう》で父親が帰宅すると、またネジを巻き直し、11時を過ぎることも……。「黄金タイム（10〜12時）までに寝《ね》かせないと、成長ホルモンが出なくなる」と聞いて心配しています。

A 小さいうちは、スッと眠《ねむ》ることのほうが少ないぐらいで、早く寝《ね》かしつけるために、お母さんはいつも苦労しておられると思います。

生後3、4カ月を過ぎると、寝《ね》ている間に成長ホルモンがたくさん分泌《ぶんぴつ》されるのは本当で、「寝《ね》る子は育つ」という格言の、科学的な裏づけにもなっています。

また、睡眠不足《すいみんぶそく》では、朝起きられなくなって、食欲や学習意欲に影響《えいきょう》してきます。夜に明るい光をずっと浴び続けると、メラトニンの分泌《ぶんぴつ》が抑《おさ》えられ、早熟になったりします。成長ホルモンだけでなく、生活習慣やいろんな神経伝達物質から考えても、やはり夜にしっかり寝《ね》る、そして朝早く起きる、というのはすごく大事なことだと思います。

ただ、「この時間に寝《ね》かせないとダメだ」というような、強迫観念《きょうはくかんねん》に取りつかれて、何が何でもということではないことも、また知っておいてほしいと思います。

子どもの中には、いわゆるショートスリーパーといって、短い睡眠《すいみん》でよい子もいれば、長く寝《ね》ないといけない子もいます。年齢《ねんれい》によっても違《ちが》いますし、保育所でお昼寝《ひるね》をしている子と、そうでない子の違《ちが》いもあるでしょう。それぞれの子にあったやり方、というのがあると思います。

一般的《いっぱんてき》に勧《すす》められるのは、

- **毎朝しっかり朝日を浴びる**
- **起きた時間で寝《ね》る時間が決まるので、早く起こすようにする**

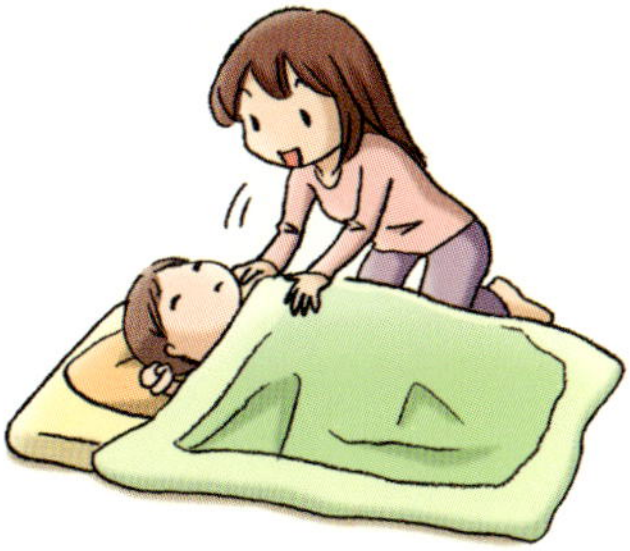

・日中、よく体を動かすと、夜眠《ねむ》りやすくなる

（昼間に日光を浴びることによって、夜のメラトニン分泌《ぶんぴつ》が促進《そくしん》される）

・夜更《よふ》かしになるくらいなら、昼寝《ひるね》を早めに切り上げる

などです。

特に大切にしたいのは、寝《ね》るまでの入眠儀式《にゅうみんぎしき》です。パジャマに着替《きが》えて、お布団に入り、絵本を読んだり、お話をしたりして、ゆっくりとリラックスモードに入っていきます。あとは、部屋《へや》を暗くしておやすみをします。

といっても、「ここからが、1時間以上かかるんです！」というお母さんも、けっこうおられます。毎日のことですので、トントンして寝《ね》かしつけている間に、お母さんも寝《ね》てしまった……、というぐらいの気楽さが、私はあっていいと思いますよ。

× 何が何でもこの時間に、と思ってしまうと……

ご飯！
おフロ！
歯みがき！
さあもう8時半よっ
せか せか
早く 早く 早く 早く!!
せか せか せか せか
絵本ターイム!!
えほん
スライディングセーフ!!
ボトッ
ザザーッ
何とか間に合ったわね!!
――しましたとさ。おしまい
さっ もう寝《ね》ようね
ちょうど9時だ
やだー もっと読むー もう1回～
がーーっ
もうっ!!
早く寝《ね》ないと9時過ぎちゃうよ!!

○ 一緒に寝てしまってもいい、くらいの気楽さで

おい、もう9時じゃないか
子どもは寝《ね》る時間だぞ
わーい
わかっているけど、子どもと一緒《いっしょ》に寝《ね》ちゃってもいいように
最低限のことは済ませておきたいの
ギュッ
ギュッ
さ、一緒《いっしょ》に寝《ね》ようか
あとヨロシク！
あ、おフロ洗っておいてね。もしかしたら、私寝《ね》ちゃうかもしれないから
予想どおりだな……
くかー
よいしょ
風邪引くぞ

Q4

友達から、いじわるをされている

Q 保育園で、友達からいじわるをされているようです。聞いてもあまり話してくれず、言い返せない性格なので、この先エスカレートしないか心配です。子どもに、どう言葉をかけていったらいいでしょうか。

A 子どもの世界は、ある意味で、感情のぶつかり合いです。大人のように、自分の感情をうまくコントロールすることができないため（大人でも難しいですが……）順番争いや、物の取り合いで、すぐにけんかになります。

子どもの世界とはそういうものですし、それで人間関係を学んでいく、という部分もあります。けんかをしても、しばらくすると、また一緒《いっしょ》に遊んでいるのも、子どもの世界ならではのいいところです。ですから、「いじわる」といっても、ある程度、お互《たが》いにやり合っているようなものなら、少し様子を見ていいと思います。

しかし、一方的で持続する場合は、やられる側《がわ》がつらいですし、やはり大人の介入《かいにゅう》が必要になります。

まず大切なのは、「いじわるをされる側《がわ》は、ちっとも悪くない」ということです。よく、自分の子どもがいじわるをされているのを知ると、「引《ひ》っ込《こ》み思案《じあん》だからじゃないか」とか、「内気だから」「心が弱いから」と、自分の子どもの性格のせいだと考えてしまう親御《おやご》さんがあります。**では、そういう子には、いじわるをしてもいいのでしょうか。絶対にそんなことはないはずです。いじわるは、いじわるをする側《がわ》が悪いのであって、される側《がわ》は決して悪くないのです。**

それを、いじわるをされるわが子にも非があると思ってしまうと、「あんたももっと強くなりなさい!」とか、「おまえも少しは言い返したらどうなの?」などと言ってしまいます。それでは、いじわるをされているうえ、家でフォローされるどころか、よけいに叱《しか》られるという、最悪の状態になります。

「つらかった　いじめられても叱《しか》られて」＊

という、いじめを受けた子の川柳《せんりゅう》がありますが、そうなると、もう親に相談することもできなくなります。

ですから、「いじわるをされている」と子どもが訴《うった》えてきたときには、まず、「あなたは、ちっとも悪くないんだよ。いじわるは、するほうが絶対に悪いんだし、おかしいんだよ」と伝えることが大切なのです。

いじわるをされる子は、心の優しい、相手に気を遣《つか》う子が多いです。人に怒《いか》りをぶつけるより、自分がガマンする子ですから、むしろ心の強い子です。決して弱いとか、悪い性格とは思いません。

＊あめあがり通信　151号（「非行」と向き合う親たちの会）

そのうえで、いじわるをやめさせるために、「今度、たたかれたりしたら、保育園の先生に言ってごらん」と提案してみましょう。よけい悪化するのではないかと心配する子もいますが、少なくとも保育園から小学校中学年くらいまでは、先生に相談することで、かなり解決することが多いです。

また、子どもからではなく、友達の親から、いじめられているという情報が入ることもあります。それで子どもに確認しても、やはり言わない。いじめられる自分がみじめだから認めたくない、ただ遊んでいるだけだと思いたい、ということもあります。また、親に言うことで、よけいに事態が悪化するのではないかと思っているのかもしれません。そういう場合は、言わないことはあまり責めずに、「保育園で嫌《いや》なことがあるのなら、必ず言ってね。それを言ったからって、もっといじわるがひどくなることはないからね」と繰《く》り返《かえ》し伝えて、様子を見ます。

言葉で伝えてこなくても、小さな子の場合は、表情を見ていればたいていわかります。登園をしぶるとか、暗い顔をして帰ってくることが続くなら、一度、親のほうで、保育園の先生に相談しましょう。

✕ 家でよけいに叱られる

何もしていないのに、たけし君がいつもたたいてくる
ゴッツン
やめてー
え？
きっとあんたが悪いことしたから、たたかれたのよ
何もしないのに、たたいてくるはずないんだから
次の日――
今日は10発!!
逃げんなよっ
やめてよー
お母さんに相談しても……
あんたが悪い!!
ビシッ
……

◯ いじわるは、するほうが絶対に悪いと伝える

何もしていないのに、たけし君がいつもたたいてくる
ゴツン
やめて!
え?
どうしてたたいてくるの?
いつもやってくるの?
そう。それは嫌《いや》だったね。あなたはちっとも悪くないんだよ
たたいてくる相手が間違《まちが》っているんだよ
お母さんもそのことを先生に相談しておくからね
ほっ
さらさら

Q5 乱暴な子には、もっと厳しくしたほうがいいのでは

Q 近所に、とても乱暴な男の子（3歳）がいます。かみつかれた子もあり、「親が甘《あま》いからこんな子になるんだ。皆《みな》でもっと厳しくしないと」と話し合っています。そんな子へは、どう接すればいいのでしょうか。

A 近所に乱暴な子がいると、自分の子にも被害《ひがい》が及《およ》ぶのではないか、と心配されるのも無理はありません。もしかすると、すでにたたかれたりしたのかもしれませんね。

よく、乱暴な子がいると、「甘《あま》やかして育てたからこうなるんだ」「もっと厳しくしないと」といわれます。しかし、実際には、むしろそういうことは少ないです。

では、どうしてこうなるのかですが、1つは、持って生まれた性格の場合。子どもには、おとなしい子もあれば、やんちゃな子もあります。悪気はないのだけれど、まだ自分の力かげんがうまくできず、ついついエスカレートすることもあります。3歳であれば、そういうことはままあることです。

もう1つは、子どもに何らかのストレスがあって、それが行動面に出ている場合。たとえば、以前、通《かよ》っていた保育園で厳しすぎるしつけを受けていて、そのときガマンしていたものが、今出てきているとか、家庭で、下の子にばかり手がかかって、あまりかまってもらっていないとか、虐待《ぎゃくたい》とまではいかなくても、体罰《たいばつ》を含《ふく》めた厳しい養育を受けているとかです。**乱暴したくなる気持ちのもとにあるのは、実は悲しみだともいわれています。少なくとも、「親が甘《あま》いから、乱暴になるんだ」というのとは、違《ちが》うことが多いです。**

それを周囲が思《おも》い込《こ》んで、集団で親に苦情を言いに行くと、親はもっと子どもを叱《しか》るでしょう。すると、子どもにさらにストレスがかかって、乱暴な行動がよけい悪化する、という場合もあります。そうなれば、まったくの逆効果です。

ではどうするかですが、**乱暴な行動をコントロールしていくために大切なのは、そ**

れを言葉で表現できるようにしていくことです。これは自分の子どもであっても、他人の子どもであっても同じです。

まず、「どうしたのかな？」「何か嫌《いや》なこと、腹の立つことがあったのかな？」と気持ちを聞く。「○○だったからだ！」と言えば、「そうだったんだね。それが嫌《いや》だったんだね」と気持ちに共感する。理由を言わなければ、「何でかわからないけど、腹が立ったんだね」と伝える。そして、「これからは、腹が立ったら、『嫌《いや》だ』とか、『腹が立つ！』と言葉で言えばいいんだよ。だから、いきなりたたいたり、かみついたりすることはやめようね。自分もたたかれたり、かみついたりされると嫌《いや》だもんね」と言う。

まとめると、

①気持ちを聞く
②気持ちには共感
③行動は抑止《よくし》

です。

可能ならば、その子の親御《おやご》さんと話し合うことができればいちばんですが、すでにこういう子の親御《おやご》さんは、周囲からの苦情をさんざん聞いていっぱいいっぱいになっていることが多いので、もし話をするとしても、親御《おやご》さんなりに子どもを心配して、じゅうぶん注意してこられたことをまず認め、ねぎらってあげることが大切です。

ゴチン
あ、またたけし君だ……
わーん
わーん
どうしてたたいたの？何か嫌《いや》なことがあった？
だってさ……
なるほど。そういうことがあったのね……
わかった。そのことは私からあの子にちゃんと言っておく
だから、これからはもう絶対にたたかないでね
うん

Q6 子どもがウソをつくように

Q 最近、子どもがウソをつくようになりました。「ウソは泥棒《どろぼう》の始まり」といわれますが、うちの子も悪くなっていくのではないかと心配です。

A 「ウソは泥棒《どろぼう》の始まり」といいますが、すべてのウソが悪いわけではありません。必要なウソもあります。逆に、人間社会から、すべてのウソがなくなったら、とても生きづらい世の中になるでしょう。

ウソをつくのは人間だけです。イヌやネコがウソをついた、というのは聞いたことがありません。赤ちゃんにもウソはありません。そうすると、ウソをつくようになった、ということは、それだけ知能が発達してきた証拠《しょうこ》。そういう意味では、**「ウソは泥棒《どろぼう》の始まり」というより、「ウソは人間の始まり」といったほうが正しいのではないかと思います。**

そうはいっても、やはり心配なウソもあります。心配でないウソもあります。そのいくつかをお伝えしたいと思います。

ただその前に1つ、大切なことがあります。それが本当にウソなのかどうか、ということです。大人は時々、自分が信じられないとき、よく確かめもしないで、「そんなのウソに決まっている」とか、「またウソをついて」と言います。

しかし、本当のことを言っているのに、ウソだと決めつけられて、傷ついた子どもを私はたくさん知っています。それ以来、大人には何を言ってもどうせ信じてもらえないと思った、という子どもも少なくありません。

本当にそれがウソなのか、たとえにわかに信じがたいことでも、まずは子どもの言い分をよく聞く、そしてどうしても信じられないことだったら、その裏づけとなる証拠《しょうこ》をちゃんと集める、という姿勢が必要だと思います。
では、それがどうしてもウソらしい、となったとき、どういう種類のウソがあるでしょう。

① 自分の空想を、事実のように言うウソ

小さな子どもは、空想と現実の区別がまだじゅうぶんついていないことがあります。

「この前、ディズニーランドに行ってきた」とか、自分の願望を、あたかも事実のように言うことがあります。

こういうウソは、小さい子どもが言っている場合は、そんなに心配ありませんし、いちいち目くじら立てて叱《しか》る必要はありません。「そうなの」くらいで、聞き流しておけばよいと思います。

ほんとー?
いいなー
ディズニーランドに行ってきたー
また言ってる……

ディズニーランドに行かれたそうで……
先生にまで……
まあ……ほほほ

空想を事実のように言うことに、
目くじらを立てる必要はありません

②叱られないためのウソ

悪いことをしたのに「してない」というウソです。

これは、大人でもあることですし、こういうウソは、しっかり注意しなければなりません。

ただ、あまりにこれが頻繁《ひんぱん》になる場合、背景にあるのは、たいてい「叱《しか》られすぎ」です。そしてこういう場合は、ウソを叱《しか》れば叱《しか》るほど、悪循環《あくじゅんかん》になってしまいます。悪いことをして、ウソをつく。それを叱《しか》られて、よけい悪いことをする、それをまた隠《かく》そうとして、ウソをつく、それをさらに叱《しか》られる、という悪循環《あくじゅんかん》です。

実は、こういう子どもは、どうしてそんな悪いことをするのかというと、それだけ今まで叱《しか》られすぎてストレスがたまっているからです。

そのストレスを、友達にいじわるするとか、友達のゲームを取るとか、親のお金を盗《ぬす》むとか、そういう形で出しているのです。そしてそれはたいていすぐばれますから、こっぴどく叱《しか》られます。そうすると、よけいもやもやがたまって、また悪いことをします。そうすると、また見つかって、さらにこっぴどく叱《しか》られる。そういうことになっているのです。

これはちょっと心配なウソです。親の対応を少し見直す必要があります。

まず、こういう子は、悪いことをしたことはしばらく叱《しか》らないで、まず、やったことを正直に話をする子にしなければなりません。

そうはいっても、なかなか本当のことは言いません。それを根気強く、とにかく本当のことを話してほしいんだ、と繰《く》り返《かえ》し伝えていく。そのうちに、本当のことをたまたま言ったときに、「よく本当のことを話してくれた」と認めていく。そしてちゃんと本当のことを言えるようになったら、そのときようやく、ほかの子並みに少しは叱《しか》ってもいい、ということです。

ウソをつく、というのは、自分の非に向き合えない、ということです。自分の非と向き合えないのは、プライドが高いからではありません。むしろ、自己肯定《じここうてい》感《かん》が低いからです。自己肯定感《じここうていかん》の高い人は、自分の非を認めることができます。それができないのは、自分に自信がないからです。これ以上自分の非を認めると、自分の存在価値はマイナスになると思っているのです。そういう子どもをこれ以上追《お》い詰《つ》めても、逆効果なだけです。

いけないことはいけないと伝える必要はありますが、それと同時に、子どもなりの努力やがんばりやいいところを伝えて、自己肯定感《じこうていかん》を育てる関《かか》わりが絶対的に必要です。

この鉛筆《えんぴつ》どうしたの?
前から持ってたよ
ううん。なかったと思う
あ、やっぱり拾ったんだった
大事なことなの
本当のことを言ってちょうだい
本当は、お友達の取っちゃったの
かわいかったから……
そう!
よく本当のことを言ってくれたね!

「子どもはよくウソをつくけれど、ウソをつかずにおれない気持ちはホントウだ」といわれます。

「ウソはいけないよ」と教えると同時に、なぜそういうウソをつくのか、その背景をしっかり把握《はあく》することこそが、大切なことではないかと思います。

Q7

ささいなことで、すぐに泣いてしまう

Q ささいなことで、すぐに泣きます。「そんなことで泣かないの！」と言うと、よけいに泣くし、なぐさめれば甘《あま》やかしになってしまいそうで悩《なや》んでいます。「もっと強い子に」と思うほど、泣き声を聞くだけでイライラすることもあります。

A 「子どもは泣くもの」と思ってはいても、あまりしょっちゅう泣かれると、お母さんもたいへんですね。

しかし、お母さんもわかっておられるとおり、自分の気持ちを上手に言葉で表現できない子どもは、泣くことでしか伝えられません。特に赤ちゃんなら、泣くのが唯一《ゆいいつ》の表現手段です。

私は、「泣く」という形で、きちんと自分の気持ちが表現できているのは、むしろ、とてもいいことだと思います。いちばん心配なのは、「泣く」という表現さえできず、自分の気持ちを抑《おさ》え込《こ》んでしまっている子です。

ですから、いわゆる「泣き虫」であったとしても、心の発達上はそんなに心配ありません。人一倍、感受性が豊かで、敏感《びんかん》な、優しい子なのかもしれません。成長してから、りっぱな仕事を成《な》し遂《と》げた人が、実は小さいとき、人一倍泣き虫だったというのは、よく聞く話です。

子どもがすぐに泣くのは、だから、お母さんの育て方のせいではないし、子どもがおかしいのでもありません。

そこで、どう対応するかですが、まず、泣いている子は、何かつらいことがあって泣いているわけですから、怒《おこ》ったらよけいに泣きたくなります。それなのに、泣きやませようとして怒《おこ》れば、さらに悪循環《あくじゅんかん》になってしまいます。

大切なのは、共感の言葉です。「嫌《いや》だったんだね」「こうしたかったんだね」と、子どもの気持ちを言葉にしてかけていく。そして、よしよしと抱きしめてやります。

　そのようにしてもらった子どもは、「親はわかってくれる」と、周囲への信頼感《しんらいかん》を築いていきますし、気持ちを大切にしてもらったことで、「自分は大切な人間なんだ」と、自《じ》己肯定感《ここうていかん》が育《はぐく》まれます。それが土台となって、心の強い子が育つのです。これは、どれだけしても、「甘《あま》やかし」にはなりません。


心配なのは、「泣いちゃダメ！」と、子どもの感情表現を禁止して、抑《おさ》え込《こ》んでしまう場合です。もちろん、泣き声がつらくて言ってしまうこともありますが、あまりにもそれを続けると、子どもは自分の気持ちを表現してはいけないんだ、と思ってしまいます。すると、表面的には手がかからなくなりますが、さまざまな感情を心の奥底《おくそこ》にため込《こ》んでしまうので、将来、思春期や青年期になったときにそれが爆発《ばくはつ》して、よけいたいへんになることがあります。

　また、もう1つ心配なのは、泣かれると困るからといって、泣いたらすぐに子どもの要求にこたえてしまう場合です。「抱《だ》っこして」など、体の具合が悪いときにこたえるのは問題ありませんが、物の要求が通らないときに、すぐに買《か》い与《あた》えてしまうのは、「甘《あま》やかし」で、よくありません。

その両極端《りょうきょくたん》にさえならなければ、たいてい大丈夫《だいじょうぶ》だと思っています。

それでも、「どうしても泣き声を聞くとつらくなる」という人もあるかもしれません。それは、お母さんがちょっと疲《つか》れているからか、あるいは、もしかするとお母さん自身が、泣きたい気持ちをガマンして、がんばってきた人だからかもしれません。自分が子どものころ、弟や妹が泣き虫で、「でも、私はお姉ちゃんだから泣いちゃいけない」と、がんばってきた。なのに、自分の母親はそんな気持ちに気づかず、泣いている弟や妹の相手ばかりをしていた……。そういう背景があったりします。

泣くことは、子どもでも大人でも、決して悪いことではありません。泣きたいときは、思いっきり泣いていいと思います。それをだれかに受け止めてもらうことで、人はいやされ、また前向きに生きていこうという意欲がわいてくるのだと思います。

× 感情表現を禁止してばかりいると……

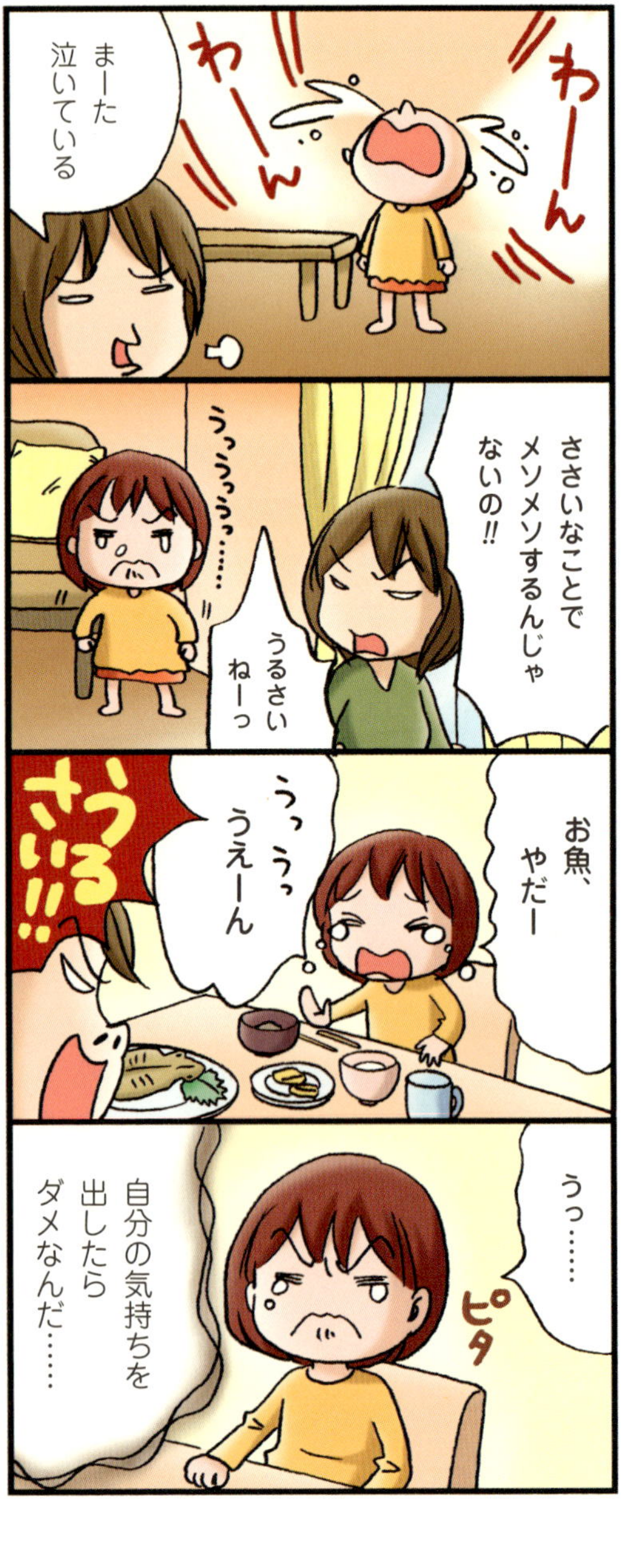

わーん
わーん
まーた泣いている
ささいなことでメソメソするんじゃないの!!
うるさいねーっ
うっうっうっうっ……
お魚、やだー
うっうっうえーん
うるさい!!
うっ……
ピタ
自分の気持ちを出したらダメなんだ……

○人一倍、感受性が豊かな子なんだと思って共感する

うわーん
わーん
どうしたの？
なおちゃんに
いじわるされた
あらあら、
それはつらかったね
うぐっ
これからはもう
遊んであげないって
言われた
まあ……
そんなこと言われたら
悲しいね
うぐっ
大《だい》丈《じょう》夫《ぶ》だよ。
お母さんが
よしよしして
あげるからね
わーん
信《しん》頼《らい》感《かん》
お母さんは
私の
味方だ……

おわりに

否定の連鎖から、肯定のリレーへ

この本では、子どものほめ方、叱《しか》り方《かた》について書いてきましたが、もちろん、これを全部実行しないと、子どもの心は育たない、ということではありません。

また、マンガにする手前、4コマで解決！となっていますが、実際には「マンガのようにはうまくいかないわ」ということも多々あると思います。

その家なりの子育て方針がありますし、そうして悩《なや》みながら子育てしていくことそのものが、きっと子どもの自己肯定感《じここうていかん》を育てることになるのだと思います。そんな毎日の中で、1つでも、参考にしていただければありがたいです。

よく、「今の親は……」「最近の母親は……」といわれます。

確かに、親も人間だし、完璧《かんぺき》ではない、失敗も多々ある。しかしそれでも、とりあえず、ここまで育ててきたのです。

もしかしたら、いろいろとたいへんな状況《じょうきょう》があったかもしれません。夫もほとんど家にいない、実家の応援《おうえん》も得られない。経済的にも苦しい中、24時間子どもと向かい合って、だれにも頼《たよ》ることができず、独《ひと》りで子どもを育ててきたかもしれないのです。

そういうことに対して、まずは、ねぎらいの言葉、認める言葉が何より必要なのではないでしょうか。
「よくがんばってきたね」「今までたいへんな中、よく独《ひと》りで育ててきたよね」「でも、おかげで子どもはいい子に育っているよ」「大丈夫《だいじょうぶ》だよ」と……。

一人の人間を育てる、ということは、本当に価値ある仕事です。そのことがもっと社会で認められるべきだし、親御《おやご》さんは、そんな大切な仕事をしている自分をぜひ、ほめてあげてほしいのです。

そしてつらくなったら、助けを求めること。配偶者《はいぐうしゃ》や実家の親だけでなく、相談機関やNPO、ファミリーサポート、ベビーシッターなど、地域のサービスがいろいろあります。

そして自分のことを認めてくれる人、肯定《こうてい》してくれる人を一人でも見つけることが、いちばん必要なことではないかと思います。

否定の連鎖《れんさ》から、肯定《こうてい》のリレーへ。

子育てをきっかけとして、世の中が、そのように変わっていけば、この社会は、もっと生きやすいものになるのではないでしょうか。

〈イラスト〉

太田　知子（おおた　ともこ）

昭和50年、東京都生まれ。
２児の母。
イラスト、マンガを仕事とする。

改めて反省してみると、
よくほめることは、
親にとって都合のよいこと。
つい叱ってしまうことは、
自分にとって都合が悪いこと
なんですよね……。
子どももようやく、
小学１年生になりました。
私も一緒に成長したいと
思います。

装幀・デザイン　遠藤 和美

〈著者略歴〉

明橋　大二（あけはし　だいじ）

昭和34年、大阪府生まれ。
京都大学医学部卒業。精神科医。

国立京都病院内科、名古屋大学医学部附属病院精神科、
愛知県立城山病院をへて、真生会富山病院心療内科部長。

児童相談所嘱託医、スクールカウンセラー、
NPO法人子どもの権利支援センターぱれっと理事長。
著書『なぜ生きる』（共著）
『輝ける子』『思春期に がんばってる子』
『子育てハッピーアドバイス』
『忙しいパパのための子育てハッピーアドバイス』
『子育てハッピーアドバイス　知っててよかった　小児科の巻』（共著）
『子育てハッピーアドバイス　ようこそ 初孫の巻』（共著）など

● 「子育てハッピーアドバイス」シリーズ紹介サイト
http://www.happyadvice.jp/

子育てハッピーアドバイス
大好き！が伝わる　ほめ方・叱り方

平成22年（2010）6月21日　第1刷発行
平成25年（2013）2月15日　第61刷発行

著　者　明橋　大二
イラスト　太田　知子

発行所　株式会社　1万年堂出版
〒101-0052　東京都千代田区神田小川町2-4-5F
電話　03-3518-2126
FAX　03-3518-2127
http://www.10000nen.com/

公式メールマガジン「大切な忘れ物を届けに来ました★1万年堂通信」
上記URLから登録受付中

印刷所　凸版印刷株式会社

ISBN978-4-925253-42-0 C0037

症状別のホームケアがよくわかる！
子育てハッピーアドバイス 知ってて よかった 小児科の巻

風邪を引くたびに子どもは強くなる▽高い熱で脳がやられることはありません▽急いで受診すべきか迷ったときは……▽ママ、パパにもできる、応急手当　ほか（共著 吉崎達郎）

定価 本体 933円＋税

各科の役割と、ママ安心のアドバイスが1冊に！
子育てハッピーアドバイス もっと知りたい 小児科の巻2

風邪を引くとなる「中耳炎」の謎▽アトピー性皮膚炎Q＆A▽虫歯予防▽近視が進む、最大の原因は？▽子どもによくある感染症▽予防接種　ほか（共著 吉崎達郎ほか）

定価 本体 933円＋税

安心して赤ちゃんを迎えるために
子育てハッピーアドバイス 妊娠・出産・赤ちゃんの巻

おなかの中から育む心の絆▽プレパパへのメッセージ▽陣痛は、こうして乗り切ろう！▽ママと赤ちゃんを守る、母乳育児（悩みQ＆A）　ほか（共著 吉崎達郎）

定価 本体 933円＋税

孫が幸せに育つために
子育てハッピーアドバイス ようこそ 初孫の巻

祖父母だから、できること▽こうすれば、息子・娘夫婦との関係が円滑に▽抱きぐせなんて、気にしない▽孫と遊ぼう！▽今どきの子育て新知識　ほか（共著 吉崎達郎）

定価 本体 933円＋税

新書サイズの愛蔵版
子育てハッピーエッセンス100%

『子育てハッピーアドバイス』1〜3巻のエッセンスが1冊に。繰り返し読みたい、心が温まる大切なフレーズを100選びました。

定価 本体 933円＋税

心がほっとする講演を収録
講演DVD付 子育てハッピーセミナー

全国で大人気！　明橋大二先生の講演会に参加したいけれどなかなか聴きに行けないわ……という方に。自宅で、いつでも講演会に参加できます。

定価 本体 1,886円＋税

ミリオンセラー
100万部
突破

輝ける子に育てるために
子育ての基礎をぎゅっと凝縮！

子育てハッピーアドバイス

スクールカウンセラー・医者
明橋大二 著　イラスト＊太田知子

しつけも勉強も大事ですが、子育てでいちばん大事なのは、自己評価・自己肯定感を、子どもの心に育てていくことです。

- 「赤ちゃんに抱きぐせをつけてはいけない」と、言う人がありますが、これは間違っています
- 10歳までは徹底的に甘えさせる。そうすることで、子どもはいい子に育つ
- 「がんばれ」より、「がんばってるね」と認めるほうがいい
- 叱っていい子と、いけない子がいる

◉定価 本体933円＋税　四六判
192ページ ISBN4-925253-21-2

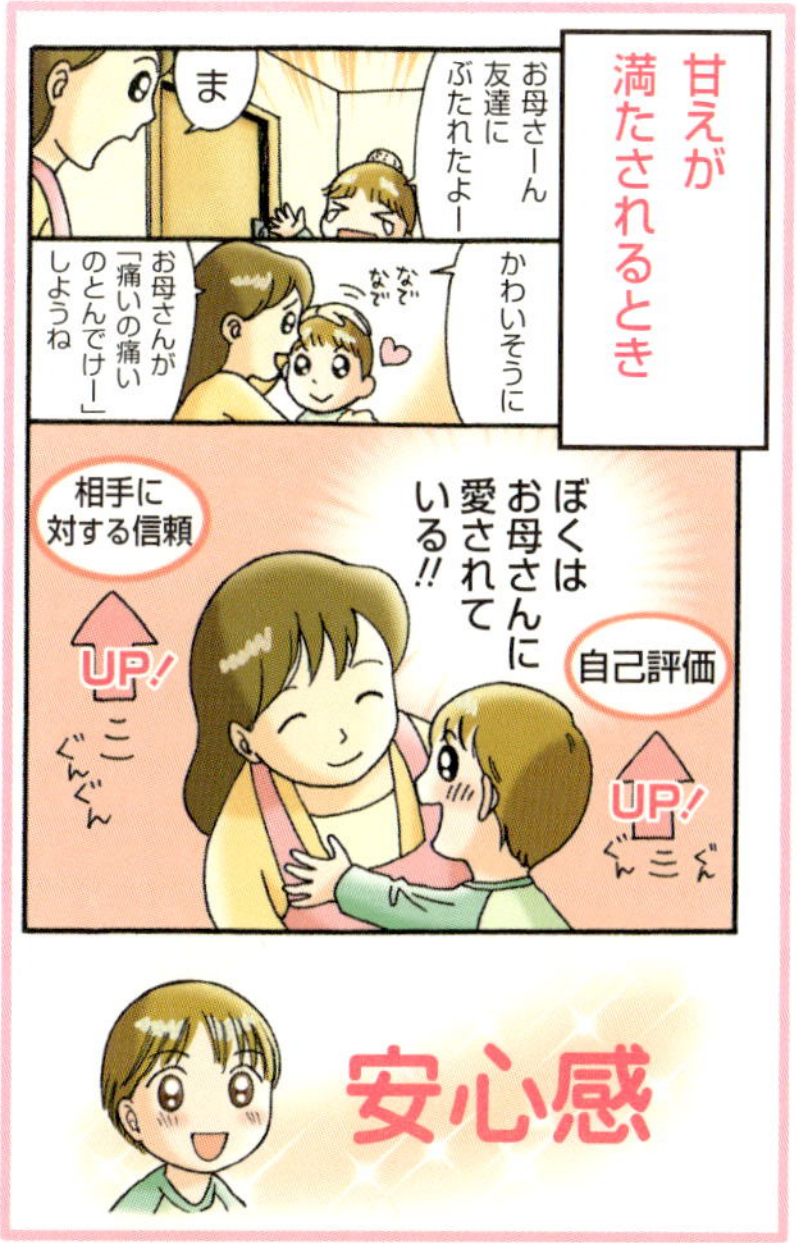

明橋先生（共著）のロングセラー

なぜ生きる

高森顕徹 監修
明橋大二（精神科医）
伊藤健太郎（哲学者） 著

こんな毎日のくり返しに、どんな意味があるのだろう？

生きる目的がハッキリすれば、勉強も仕事も健康管理もこのためだ、とすべての行為が意味を持ち、心から充実した人生になるでしょう。病気がつらくても、人間関係に落ち込んでも、競争に敗れても、「大目的を果たすため、乗り越えなければ！」と〝生きる力〟が湧いてくるのです。（本文より）

◉定価 本体 1,500円＋税
四六判 上製 368ページ
ISBN4-925253-01-8

読者からのお便りを紹介します

赤ちゃんを育てていく親として、どのように生きれば子どもの見本となれるのか、この本を読み、参考になりました。また、子育てを終えた時、それからの人生をどう歩んでいくか、深く考えさせられる内容でした。（山口県 23歳・女性）

生きるとは何なのか。おぼろげに、仕事や趣味に熱中できること、または日々の生活の、小さな幸せに感謝できることだろうと感じていました。しかし、この本には、一時的な目標と人生の目的は違う、とあります。くりかえし読みたいと思います。（大阪府 38歳・女性）

「人は、なぜ生きているの？」と、何度も思ったことがあります。この本を読んで、明確な、自分なりの答えを見いだせる気がしました。人としての器も、もっと大きくしたいと思いました。今後の私の人生に大きく影響すると思います。（兵庫県 34歳・女性）